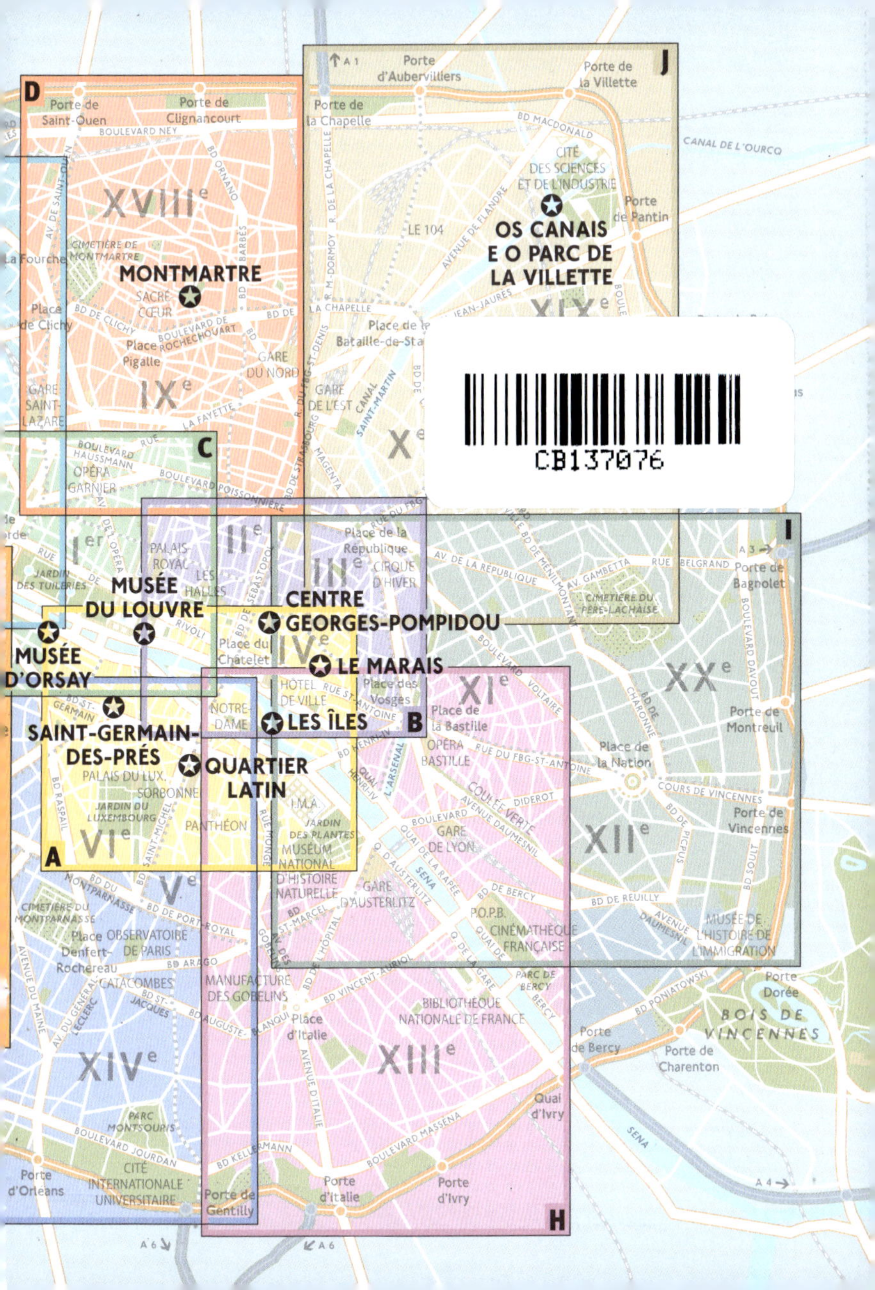
D
Porte de Saint-Ouen
Porte de Clignancourt
BOULEVARD NEY
XVIIIe
CIMETIÈRE DE MONTMARTRE
MONTMARTRE
SACRÉ CŒUR
La Fourche
Place de Clichy
Place Pigalle
BOULEVARD DE ROCHECHOUART
GARE DU NORD
GARE SAINT-LAZARE
IXe
LA FAYETTE
J
Porte d'Aubervilliers
Porte de la Villette
Porte de la Chapelle
BD MACDONALD
CANAL DE L'OURCQ
CITÉ DES SCIENCES ET DE L'INDUSTRIE
Porte de Pantin
LE 104
OS CANAIS E O PARC DE LA VILLETTE
XIXe
Place de la Bataille-de-Stalingrad
GARE DE L'EST
CANAL SAINT-MARTIN
Xe
C
BOULEVARD HAUSSMANN
OPÉRA GARNIER
BOULEVARD POISSONNIÈRE
Ier
IIe
IIIe
PALAIS-ROYAL
LES HALLES
JARDIN DES TUILERIES
MUSÉE DU LOUVRE
Place de la République
CIRQUE D'HIVER
CENTRE GEORGES-POMPIDOU
I
AV. DE LA RÉPUBLIQUE
AV. GAMBETTA
CIMETIÈRE DU PÈRE-LACHAISE
Porte de Bagnolet
MUSÉE D'ORSAY
Place du Châtelet
IVe
LE MARAIS
HÔTEL DE VILLE
Place des Vosges
XIe
XXe
SAINT-GERMAIN-DES-PRÉS
NOTRE-DAME
LES ÎLES
B
Place de la Bastille
OPÉRA BASTILLE
Porte de Montreuil
Place de la Nation
PALAIS DU LUX.
SORBONNE
QUARTIER LATIN
JARDIN DU LUXEMBOURG
PANTHÉON
I.M.A.
JARDIN DES PLANTES
MUSÉUM NATIONAL D'HISTOIRE NATURELLE
COULÉE VERTE
GARE DE LYON
COURS DE VINCENNES
Porte de Vincennes
XIIe
A
VIe
Ve
GARE D'AUSTERLITZ
SENA
P.O.P.B.
CINÉMATHÈQUE FRANÇAISE
MUSÉE DE L'HISTOIRE DE L'IMMIGRATION
CIMETIÈRE DU MONTPARNASSE
Place Denfert-Rochereau
OBSERVATOIRE DE PARIS
CATACOMBES
MANUFACTURE DES GOBELINS
PARC DE BERCY
BIBLIOTHÈQUE NATIONALE DE FRANCE
Porte Dorée
BOIS DE VINCENNES
Place d'Italie
Porte de Bercy
Porte de Charenton
XIVe
XIIIe
Quai d'Ivry
PARC MONTSOURIS
BOULEVARD JOURDAN
CITÉ INTERNATIONALE UNIVERSITAIRE
Porte d'Orléans
Porte de Gentilly
Porte d'Italie
Porte d'Ivry
H
A 6
A 4
A 3
A 1

VISTA DE LES INVALIDES, A PARTIR DA COBERTURA DA TORRE DE MONTPARNASSE

→ *3º fim de semana www.journeesdupatrimoine.culture.fr*
Abertura de monumentos habitualmente fechados ao público. Entrada grátis.

Fête des Jardins
→ *fim de semana no fim de set*
Visitas, ateliês, concertos.

Festival d'Automne
→ *Meados set-fim dez www.festival-automne.com*
Dança, teatro, música, cinema, artes plásticas.

Outubro

Fête des Vendanges de Montmartre
→ *2º fim de semana (geralm.)*
Desfiles celebram a nova safra de uva.

Nuit Blanche (Noite Branca)
→ *Início out (19h-7h)*
Uma noite cultural onde os artistas criam eventos em locais insólitos.

Feira Internacional de Arte Contemporânea (FIAC)
→ *5 dias fim out www.fiac.com*
Maior exposição francesa do gênero.

ORÇAMENTO

Leito em albergue: €22-30.
Quarto em hotel duas estrelas: €70-120.
Prato em brasserie: €12-20.
Menu em neobistrô: €30-35.
Entrada de museu: €7,50-13.
Café: €1,50-3.
Chope: €2,50-4,50.
Entrada em boate: €10-25.

HORÁRIOS

Bancos
→ *Seg-sáb 9h-17h (ou 16h)*

Lojas
→ *Em geral, seg-sáb 10h-19h (às vezes fecham seg)*

Museus
→ *Em geral, 10h-18h*
Museus municipais fecham seg e nacionais, ter. Em certas ocasiões abrem à noite.

Parques e jardins
→ *Em geral, diariam 8h-anoitecer (9h sáb-dom)*

PARIS 24 HORAS

Correio du Louvre (**B** A2)
→ *52, rue du Louvre (1er) Tel 36 31 Diariam 7h30-6h*

Pharmacie Européenne (**D** A4)
→ *6, place de Clichy (9e) Tel 01 48 74 65 18*

Restaurant Au Pied de Cochon (**B** A2)
→ *6, rue Coquillière (1er) Tel 01 40 13 77 00 Diariam*

PARA COMER

Estabelecimentos
É recomendável reservar, especialmente à noite, quando as melhores mesas ficam concorridas.

Padarias (boulangeries)
Croissants no café da manhã, além da tradicional baguete. Sanduíches.

Cafés
Para tomar um cafezinho no balcão ou no terraço.

Redes de fast-food
Lanchonetes como Cojean,

ARQUITETURA

Paris gótica (séc. XII-início do séc. XVI)
Capelas radiantes, abóbadas e arcos ogivais. Notre-Dame (**A** E2)

Paris clássica (sécs. XVII-XVIII)
Palacetes particulares e edifícios imponentes: decoração sóbria e simetria. Invalides (**F** F2)

Paris haussmaniana (segunda metade do séc. XIX)
Prefeito de 1853 a 1870, o barão Haussmann modificou a paisagem urbana de Paris, que não mudara desde a Idade Média. Culto do eixo e de uma monumentalidade discreta, emprego da pedra lavrada; criação dos Grands Boulevards, remodelamento e criação de parques e jardins, ampliação dos esgotos. Blvd St-Germain (**A** A2-E3), Jardins du Luxembourg (**A** B3)

Paris art nouveau (1893-1912)
A mistura de materiais inovadores e o gosto pelas curvas e pela assimetria, caras a Hector Guimard. Entradas do metrô. Abbesses (**D** B4)

Paris art déco (1912-39)
Formas geométricas puras e volumetrias. Palais de Chaillot (**F** D1)

Paris contemporânea
Grandes obras na linha do Pós-Modernismo. Bibliothèque Nationale de France (**H** C4), Musée du Quai-Branly (**F** D1) e o vanguardismo da Fondation Louis-Vuitton (fora do mapa **E** A3)

PERFIL DA CIDADE

- 2,2 milhões de habitantes (12,2 milhões na Grande Paris)
- 3ª metrópole da Europa
- Dividida em vinte arrondissements (distritos)
- 105km²
- Cidade mais visitada do mundo: 29 milhões de turistas por ano
- 208 teatros e 144 museus
- 10.500 cafés e restaurantes, 1.465 hotéis
- O rio Sena percorre 13km da cidade
- 37 pontes
- Altitude máxima: 130m (Montmartre)
- Na lista dos Patrimônios da Unesco: as margens do Sena

A TORRE EIFFEL E A SAINTE-TRINITÉ NO PÔR DO SOL

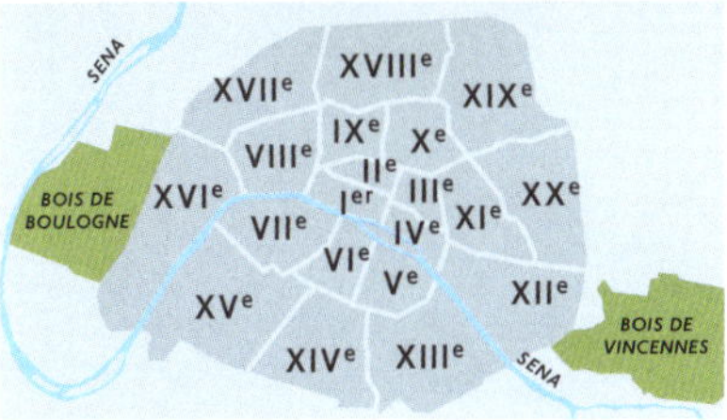

ARRONDISSEMENTS DE PARIS

CRONOLOGIA

52 a.C. Os romanos derrotam os parísios.
508 Clóvis faz de Paris a capital do reinado.
1572 Massacre de São Bartolomeu.
1789 Queda da Bastilha.
1841 Muralha de Thiers: limite atual da cidade.
1860 Grandes obras de Haussmann. Paris passa de 12 para 20 distritos.
Mai 1871 A Comuna: Paris prospera.
1900 Jogos Olímpicos, Exposição Universal.
Ago 1944 Paris é libertada.
Mai 1968 As barricadas se multiplicam no Quartier Latin.

INTERNET

Paris on-line
→ *www.parisinfo.com*
Site oficial de turismo.
→ *www.paris.fr*
Site oficial da cidade.
→ *www.quefaire.paris.fr*
→ *www.parisbouge.com*
→ *www.sortiraparis.com*
Agenda da vida noturna.
Cibercafés
Milk (**B** C2)
→ *31, blvd Sébastopol (1er)*
→ *28, rue du Quatre-Septembre (2e)* (**C** E2)
→ *5, rue d'Odessa (14e)* (**G** B3)
Abertos 24h.

INFORMAÇÕES

Office de Tourisme et des Congrès de Paris (**C** D3)
→ *25-27, rue des Pyramides (1er)*
Diariam 10h (9h mai-out)-19h
Informações, reservas d
e hotel e de excursões: Gare du Nord (**D** D4), Gare de l'Est (**J** A4), Gare de Lyon (**I** C3), metrô Anvers (**D** C4), Porte de Versailles (**F** D4).
Syndicat d'Initiative de Montmartre (independente), place du Tertre (**D** C3).
Passaporte
Brasileiros precisam de um passaporte válido.
→ *Embaixada da França no Brasil: tel (61) 3222-3999*
www.ambafrance-br.org

TELEFONES ÚTEIS

Polícia
→ *Tel 17*
Bombeiros
→ *Tel 18*
Samu
→ *Tel 15*
Nº de emergência
→ *Tel 112*
Informações
→ *Tel 118 712 / 118 218*
Achados e perdidos
→ *Tel 08 21 00 25 25*

CALENDÁRIO

Março-maio
Banlieues Bleues
→ *Meados mar-meados abr*
www.banlieuesbleues.org
Festival de jazz de Seine-Saint-Denis.
Maratona de Paris
→ *Início abr*
www.parismarathon.com
Dos Champs-Élysées à Av. Foch, passando pela Bastille e o Bois de Vincennes.
Noite dos museus
→ *Meados mai*
www.culturecommunication.culturegouv.fr/nuitdesmusees
Acesso gratuito e visitas noturnas insólitas.
Junho
Paris Jazz Festival
→ *Fins de semana de jun e jul*
www.parisjazzfestival.fr
O melhor do jazz no Parc Floral de Vincennes.
Parada Gay
→ *Fim jun* *www.gaypride.fr*
De Montparnasse à Bastille.
Fête de la Musique
→ *21 jun* *www.fetedelamusique.culture.fr*
Concertos gratuitos.
Festival Solidays
→ *3 dias: últ fim de semana jun* *www.solidays.org*
No Hippodrome de Longchamp, contra a Aids.
Julho-agosto
Fête Nationale
→ *14 jul*
Desfile militar nos Champs-Élysées.
Paris Quartier d'Été
→ *Meados jul-início out*
www.quartierdete.com
Teatro, dança, concertos.
Festival de cinema ao ar livre de La Villette
→ *Meados jul-meados ago*
Nos gramados de La Villette (**J** D2), cinema a céu aberto.
Paris-Plage
→ *4 a 5 semanas: meados jul-fim ago*
As margens do Sena ganham areia fina e deque.
Setembro
Festival de Jazz de la Villette
→ *1ª quinzena* *www.jazzalavillette.com*
Jazz e artes no parque.
Journées du Patrimoine

Atrações imperdíveis

Os dez lugares que você não pode deixar de visitar

✪ Les Îles (**A** C1-F3)
No começo eram as ilhas: a Île de la Cité e a Île Saint-Louis. Quilômetro zero das estradas francesas, sede dos poderes político, judiciário e religioso desde o séc. III, a Île de la Cité, remodelada pelo prefeito Haussmann, se destaca pela monumental Notre-Dame. À sua sombra, as ruelas da Île Saint-Louis são ideais para passeios românticos, com direito a piquenique nos cais.

✪ O Sena e suas pontes
O rio atravessa Paris ao longo de 13km, cruzados por 37 pontes que são verdadeiras janelas sobre a cidade e seus monumentos: beije como os amantes na Pont-Neuf, brinde na Pont des Arts, volte a 1900 na Pont Alexandre III, recite Apollinaire sob a Pont Mirabeau, admire os reflexos da Torre Eiffel a partir da Pont Iéna e veja até um modelo reduzido da Estátua da Liberdade na Pont de Grenelle.

✪ Quartier Latin (**A**)
"Bairro Latino" porque o ensino universitário começou a ser ministrado em latim nesse local a partir do séc. XIII. A Sorbonne, o Collège de France, o Lycée Henri-IV, fizeram das ladeiras da margem esquerda o feudo estudantil de Paris. No boulevard Saint-Michel (conhecido como Boul' Mich), ainda ecoam as palavras de ordem de maio de 1968... Mesmo assim, é ali que o mundo é reinventado todos os dias, nos bares do monte Sainte-Geneviève ou nos cinemas de arte de Saint-Michel...

✪ Saint-Germain-des-Prés (**A**)
Se o bairro deve seu nome à abadia erguida no séc. VI, é ao mundo das artes e das letras que deve sua reputação. Logo após a Segunda Guerra Mundial, Sartre e Beauvoir falavam de existencialismo no Café de Flore e Boris Vian fazia sucesso nos clubes de jazz... O espírito de Saint-Germain às vezes ainda surge na tranquilidade de suas ruas e nas livrarias e editoras, que hoje convivem com as grandes marcas da moda.

✪ Le Marais (**B**)
O *marais* ("mangue", em francês) foi urbanizado no séc. XIII e escolhido no séc. XVII pela alta sociedade: em volta da place des Vosges, brotaram mansões que se tornaram o atrativo do bairro. Hoje abriga uma importante comunidade judaica (rue des Rosiers), além da comunidade gay, e os bares e lojas se multiplicam.

✪ Grandes museus: Louvre (**C** E3), **Orsay** (**C** C4) e **Centre Pompidou** (**B** C3)
Apenas por esses três museus Paris já vale a viagem. O Louvre compõe um panorama artístico universal desde a Antiguidade até 1848 e abriga, entre outras joias, a *Mona Lisa*. O Musée d'Orsay, por sua vez, cobre de 1848 a 1914 com magníficas coleções impressionistas e pós-impressionistas. Por fim, o Centre Pompidou explora a criação dos sécs. XX e XXI. Prova disso? Sua própria arquitetura, projetada por Rogers e Piano, com tubulações à vista e cores vivas.

✪ Montmartre (**D**)
No fim do séc. XIX, essa colina de 130m de altitude ladeada de moinhos, cujas encostas ainda abrigam vinhedos, atraiu a boemia literária e artística: Renoir, Pissarro, Toulouse-Lautrec, Aristide Bruant... Era o tempo das *guinguettes* (bistrôs), dos bailes e dos cabarés... Se o lugar hoje se tornou muito turístico, basta se afastar um pouco da Sacré-Cœur e da place du Tertre para sentir o ambiente de um dos últimos "vilarejos" parisienses, com íngremes ruelas de paralelepípedos.

✪ Champs-Élysées (**E** D3-F4)
A avenida de todos os superlativos: a mais bela, a mais prestigiosa, a mais cara da capital. Nascida do desejo de criar uma perspectiva digna do Rei Sol, foi modelada ao longo dos séculos para se inscrever no monumental eixo que liga o Louvre, a Concorde, o Arco do Triunfo e o Grande Arche de la Défense. Ladeada por vitrines de luxo de famosas marcas e por cinemas, ela continua atraindo multidões, principalmente perto do Natal, em que brilha com milhares de luzes.

✪ Torre Eiffel (**F** D1)
A célebre criação do excelente engenheiro Gustave Eiffel para a Exposição Universal de Paris de 1889: 320m de altura, 18 mil peças de ferro e 2,5 milhões de rebites. Por sua majestade, deve ser vista do Trocadéro, de baixo. Por sua surpreendente beleza, de dentro; pela sublime vista de Paris, do alto; ou ainda à noite, pelo brilho de 20 mil lâmpadas (nos primeiros 5min de cada hora até as 2h da manhã, 1h no inverno). Subida a pé (pilar sul, 1.665 degraus) ou de elevador até o primeiro andar (museu e filme sobre a torre), segundo e terceiro andares (escritório de Eiffel, mirante e restaurante).

✪ Os canais e o Parc de la Villette (**J**)
Idealizados por Napoleão I para prover Paris de água potável, o Canal Saint-Martin e o Canal de l'Ourck se estendem entre a Bastille e La Villette. Revitalizados nos anos 1990, eles encantam com suas passarelas e eclusas, cafés e lojas descoladas. No final, o parque urbano de La Villette oferece muita diversão: jardins temáticos e grandes gramados floridos, a Cité des Sciences et de la Musique, concertos e cinema em salas ou a céu aberto no verão. O pretexto ideal para conhecer a região leste de Paris.

Informações práticas

Centro histórico e geográfico de Paris, a Île de la Cité abriga vestígios da antiga cidade real. Na margem esquerda do Sena está o Quartier Latin, com suas universidades, editoras e cinemas de arte e experimentação. Em direção ao sul, o "Boul'Mich" leva ao Jardin du Luxembourg, passando pela Sorbonne, e a rue Soufflot abre uma majestosa perspectiva do Panthéon, situado no monte Sainte-Geneviève. A oeste, a place de l'Odéon conserva sua elegância, e a rue Saint-André-des-Arts, suas vielas medievais. Perto, Saint-Germain--des-Prés é repleto de cafés literários do pós--guerra e lojas de moda.

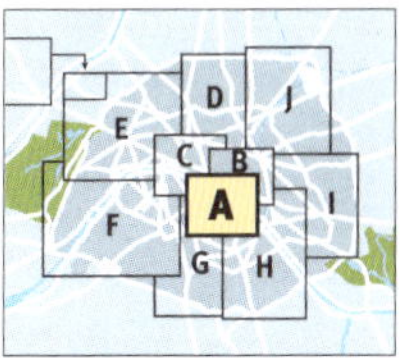

LUISA MARIA

LES PAPILLES

RESTAURANTES

Così (**A** B2)
→ *54, rue de Seine (6e)*
Tel 01 46 33 35 36
Diariam 12h-23h
O nome Così vem da ópera *Così fan tutte*, de Mozart. Mostra a obra do dia na lousa e serve deliciosos pães recheados com produtos frescos: salmão, tapenade, tomates secos etc. Menu €9,50-11,50.

Luisa Maria (**A** C3)
→ *12, rue Monsieur-le-Prince (6e) Tel 01 43 29 62 49 Seg-sáb 12h-14h30, 19h30-23h*
Em um ambiente contemporâneo, decorado com móveis de segunda mão, um restaurante gêmeo do Maria Luisa, no nº 2 da rue Marie-et-Louise (**J** A5). Massas de todo tipo e pizzas com ou sem molho de tomate. Prato € 10,50-22.

Le Petit Saint-Benoît (**A** B2)
→ *4, rue Saint-Benoît (6e)*
Tel 01 42 60 27 92
Seg-sáb 12h-14h30 (15h sáb), 18h30-22h30
Desde 1901 essa brasserie dirigida pela família Gervais-Daffis parece ter parado no tempo: toalhas quadriculadas e gavetas para os guardanapos dos habitués. Caseiro: os à moelle, pot-au-feu, hachis Parmentier. Prato €11,50-17.

Le Pré Verre (**A** D3)
→ *8, rue Thénard (5e)*
Tel 01 43 54 59 47 Ter-sáb 12h-14h, 19h30-22h30
Esse neobistrô excelente nunca está vazio: seus pratos explodem de sabores e flertam com o universo das especiarias. Os vinhos são escolhidos com talento e o cardápio do almoço permanece imbatível. Menu €14,50 (almoço), €32.

Les Papilles (**A** C4)
→ *30, rue Gay-Lussac (5e)*
Tel 01 43 25 20 79
Ter-sáb 12h-14h, 19h-22h30
Reunidas por um produtor do Sudeste, diversas garrafas de vinho fino recobrem as paredes desse bistrô-delicatéssen. Charcuterie e cozinha tradicional. Ao meio-dia, uma combinação de produtos frescos, diretamente da feira. Prato €16-20 (almoço); menu €35 (jantar).

Le Comptoir du Relais Saint-Germain (**A** C2)
→ *7, carrefour de l'Odéon (6e)*
Tel 01 44 27 07 97
Seg-sex 12h-18h, 20h30-22h; sáb-dom 12h-23h
O bistrô gastronômico de Yves Camdeborde, astro da "bistronomia" parisiense. Sala pequena, decoração retrô e mesas na calçada, na fórmula

PONT-NEUF

CONCIERGERIE

SAINTE-CHAPELLE

◀ Mapa G

THERMES ET HÔTEL DE CLUNY

PANTHÉON

JARDIN DU LUXEMBOURG

★ **Pont-Neuf** (**A** C1)
Na extremidade da Île de la Cité, a mais antiga e famosa ponte de Paris, também uma das mais longas, foi concluída em 1604 e servia para que o rei Henrique IV pudesse cruzar o rio. Perto dela, quase escondida, fica a place Dauphine, segunda praça real na capital, construída a partir de 1607 em homenagem ao Delfim (príncipe herdeiro), e que conservou a elegância de sua juventude.

★ **Conciergerie** (**A** D2)
→ 2, blvd du Palais (1er) Tel 01 53 40 60 97 Diariam 9h30-17h30
A ala norte do vasto Palácio da Justiça, onde se instalou o intendente (ou "concierge") encarregado de administrar o palácio e a prisão no séc. XIV. Visita à monumental sala dos guardas (séc. XIV) e às antigas celas, onde Maria Antonieta ficou presa.

★ **Sainte-Chapelle** (**A** D2)
→ 8, blvd du Palais (1er) Tel 01 53 40 60 80 Mar-out: diariam 9h30-17h30 (21h30 qua meados mai-meados set); nov-fev: diariam 9h-16h30 Fechada 13h-14h15
Essa joia da arquitetura gótica foi construída entre 1245 e 1248 a pedido do rei Luís IX (São Luís) para abrigar a coroa de espinhos de Cristo. O uso de contrafortes em vez de arcobotantes – armações de metal e grampos de ferro – permitiu a construção dessas janelas com vitrais de 15m de altura. Elas apresentam 1.134 cenas do Velho e do Novo Testamento e a história do rei Luís IX recebendo as relíquias sagradas.

★ **Catedral de Notre-Dame** (**A** E2)
→ 6, pl du Parvis-Notre-Dame (4e) Tel 01 42 34 56 10 Diariam 8h-18h45 (19h15 sáb-dom)
As obras dessa impressionante catedral foram iniciadas em 1163 e concluídas apenas em 1330. A belíssima roseta voltada para o sul, a delicadeza dos arcobotantes – que tornaram possível a introdução de janelas de grande dimensão, fato até então inédito – e a fragilidade da torre-agulha fazem dela a obra-prima da arquitetura gótica.

★ **Île Saint-Louis** (**A** E2)
Essa pequena ilha era apenas local de passagem quando o empreendedor Christophe Marie decidiu nela fundar uma vila, em 1614. Mais sossegada que sua vizinha, a Île de la Cité, conservou as belas casas, as ruelas e as escadas que, cobertas de musgo, descem até o Sena.

BATOFAR

JARDIN DU LUXEMBOURG

CENTRE POMPIDOU

PARIS ÉTNICA

Avenue d'Ivry/Porte de Choisy (**H** B5)
Pequena Chinatown.
Belleville (**J** B5)
Ásia na rue de Belleville, e Magreb no Blvd de Belleville.
Rue Sainte-Anne (**C** E2)
Restaurantes japoneses.
Passage Brady (**D** D6)
A Índia nesta passagem coberta. Também em La Chapelle (**J** A3).
Barbès/Goutte d'Or (**D** D3-4)
Todas as regiões da África no mercado de Château-Rouge: várias lojas e pequenos restaurantes.
Rue des Rosiers (**B** D3)
Restaurantes judaicos.

Jour etc.: pratos para comer no local ou para levar.
Foodtrucks
Muito na moda, servem hambúrgueres (Cantine California, Le Camion qui Fume), massas (Mozza & Co), comida vietnamita (Le Camion Bol)... Veja os trajetos na internet.
Bistrôs
Para pequenas porções, pratos do dia, saladas, tábuas de queijo ou frios e jarras de vinho.
Neobistrôs
Culinária clássica servida num ambiente de bistrô.
Brasseries
A qualquer hora, frutos do mar, filés com fritas, chucrute e outros pratos tradicionais com cerveja.
Restaurantes
Culinária francesa ou internacional. Adega bem abastecida.
Curso de culinária
Aulas com degustação de pratos históricos, sushis, culinária molecular...
L'Atelier des Chefs
→ *www.atelierdeschefs.fr*
Diversos temas. Seis endereços em Paris.
École Lenôtre
→ *www.lenotre.com*
Criações do famoso *traiteur*: *10, av des Champs-Élysées* (**C** B2); *22, av de la Porte de Vincennes* (fora do mapa **I** F3).

ATRAÇÕES

Crianças
Em alguns museus, jogos, visitas guiadas e atividades.
Musée du Louvre (**C** E3)
→ *Preços reduzidos qua e sex, depois das 18h*
Grátis
Museus nacionais
→ *1º dom do mês para todos; diariam para os menores de 26 anos (acervos permanentes).*
Museus da cidade de Paris
→ *Diariam para visita aos acervos permanentes*
Maison de Victor Hugo (**B** E4), Petit Palais (**E** E4), Catacombes (**G** C4) e os museus Carnavalet (**B** E3), Cernuschi (**E** E2), d'Art Moderne (**F** D1) e Bourdelle (**G** A2).
Descontos
Estudantes, jovens de 18 a 25 anos, maiores de 60 e desempregados.
Paris Museum Pass
→ *Nos museus participantes e centros de informação turística. Validade de 2, 4 ou 6 dias: €42, €56 e €69.*
Livre acesso a mais de 60 museus e atrações.

ESPETÁCULOS

Reservas
Fnac
→ *Tel 08 92 68 36 22*
www.fnacspectacles.com
Central geral de reservas: cinema, shows, festivais...
Descontos
Quiosques para jovens (13 a 28 anos)
→ *101, quai Branly (15e)* (**F** D2)
Tel 01 43 06 15 38
Ter-sex 13h-18h
→ *14, rue F.-Miron (4e)* (**B** C4)
Tel 01 42 71 38 76
Seg-sex 11h-19h
→ *1, rue Fleury (18e)* (**D** D4)
Tel 01 42 62 47 38
Ter-sex 11h-13h, 14h-19h
Quiosques de teatro
→ *15, place de la Madeleine (8e)* (**C** C2)
→ *Esplanade Montparnasse (14e)* (**G** B3)
→ *Place des Ternes (17e)* (**E** D2)
Ter-dom 12h30-20h (16h dom)
50% para o mesmo dia.
Teatros privados
Na maioria dos teatros, ingressos a €10 para os menores de 26 anos, 1h antes do espetáculo.
Programações
Officiel des Spectacles, Pariscope
Agendas culturais. Nas bancas de jornal às quartas-feiras.
Télérama Sortir, ParisObs
Suplementos toda quarta-feira no *Télérama*, a cada duas semanas no *ParisObs*.

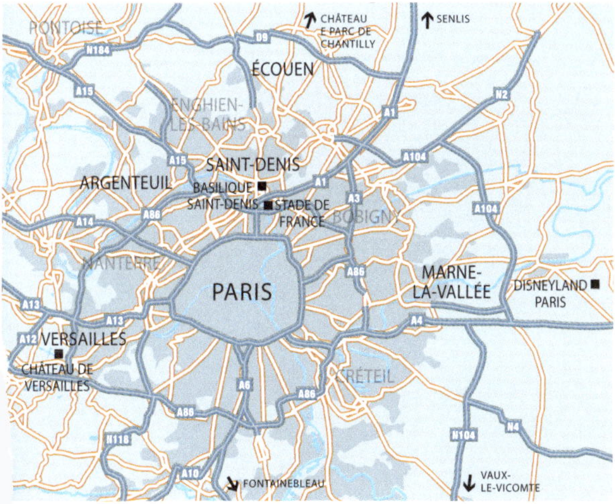

ASSEIOS

VIDA NOTURNA

Quartier Latin, Saint-Germain (**A** C2)
Bairro estudantil e boêmio.
Le Marais (**B** D3)
Bairro gay.
Pigalle (**D** B4)
Bares da moda.
Bibliothèque (**H** D4)
O universo alternativo das "péniches-concerts". Espreguiçadeiras no verão.
Bastille (**I** B2)
Clássico da noite de Paris.
Oberkampf (**I** B1), **Canal Saint-Martin** (**J** A4), **Ménilmontant** (**J** C5)
Os mais recentes bairros da moda.

COMPRAS

Liquidações
Jan e fim jun-jul.
Lojas de departamentos
BHV (**B** C3)
→ *52, rue de Rivoli (4e)*
Seg-sáb 9h30-20h (21h qua)
Para o "faça você mesmo".
Le Bon Marché (**G** B1)
→ *24, rue de Sèvres (7e)*
Seg-sáb 10h-20h (21h qui-sex)
A mais elegante.
Galeries Lafayette (**D** A6)
→ *35-40, blvd Haussmann (9e)*
Seg-sáb 9h30-20h (21h qui)
Printemps (**D** A6)
→ *64, blvd Haussmann (9e)*
Seg-sáb 9h35-20h (20h45 qui)
As mais bonitas de Paris.
Mercados de pulgas
Puces de Saint-Ouen
(fora do mapa **D** A1)
→ *Mº Porte de Clignancourt*
Sáb-dom 10h-18h, seg 11h-17h
O maior e principal.
Puces de Vanves
(fora do mapa **G** A5)
→ *Av M.-Sangnier e G.-Lafenestre, Mº Porte-de-Vanves*
Sáb-dom 7h-14h, 14h45-19h30
Bugigangas charmosas.
Puces de Montreuil
(fora do mapa **I** F2)
→ *Mº Porte de Montreuil*
Sáb-seg 7h-19h30
Mercados de alimentos
Place Maubert (5e) (**A** D3)
→ *Ter, qui, sáb 7h-14h30 (15h sáb)*
Blvd R.-Lenoir (11e) (**I** B2)
→ *Ter, sex 7h-14h30*
Rue d'Aligre (12e) (**I** C3)
→ *Ter-dom 7h-13h30 (14h sáb-dom)*
Blvd de Belleville (20e) (**J** B5)
→ *Ter, sex 7h-14h30*
Blvd de la Chapelle (**D** D4)
→ *Qua, sáb 8h-13h (15h sáb)*
Mercados de flores
→ *Pl de la Madeleine (8e)* (**C** C1)
Seg-sáb 8h-19h30 (sazonal)
→ *Pl Louis-Lépine, Île de la Cité (4e)* (**A** D2) *Diariam 8h-19h30*

ÁREAS VERDES

Mais de 460 opções.
Bois de Boulogne (**F** A1-3)
→ *Mº Porte-Maillot*
Aluguel de bicicletas na entrada do Jardin d'Acclimatation.
Bois de Vincennes
(fora do mapa **I** F4)
→ *Mº Château-de-Vincennes*
Para caminhar e pedalar.

PASSEIOS

Stade de France
→ *Linha 13, estação St-Denis-Porte de Paris*
Inaugurado na Copa do Mundo de 1998.
Basilique St-Denis
→ *Linha 13, estação Basilique St-Denis*
Obra-prima gótica e túmulos dos reis da França.
Château d'Écouen
→ *Gare du Nord, estação Écouen-Ézanville*
O museu nacional da Renascença... num castelo da mesma época.
Château e Parc de Chantilly
→ *Gare du Nord, estação Chantilly*
Castelo idílico do séc. XIX: pinturas de Rafael e Corot, um parque à francesa.
Palácio de Versailles
→ *RER C, estação Versailles Rive Gauche*
O grandioso palácio do Rei Sol (séc. XVII).
Disneyland Paris
→ *RER A, Marne-la-Vallée*
O reino encantado das atrações do mundo da Disney.
Vaux-le-Vicomte
→ *Rer D, estação Melun depois Châteaubus*
O castelo (1661) de Fouquet que despertou ciúme em Luís XIV.
Fontainebleau
→ *Gare de Lyon, estação Fontainebleau-Avon*
Château da Renascença com afrescos suntuosos. E, ao lado, um bosque.
Senlis
→ *Rer D, estação Orry-la-Ville*
Bela cidade de ruelas medievais.

PONT DES ARTS

CANAL SAINT-MARTIN

TORRE EIFFEL

CAFÉ DE FLORE

MONTMARTRE

Informações práticas

Les Halles perderam os pavilhões Baltard, mas hoje a multidão desfila sob o majestoso Canopée, do séc. XXI. A oeste, os jardins, atualmente em reforma, se estendem até a igreja de Saint-Eustache. A leste, o Centre Georges-Pompidou, com suas tubulações coloridas à mostra, é vizinho da fonte Stravinsky, onde esculturas móveis deslumbram os transeuntes. Mais distante, o Marais e suas ruelas escaparam das reformas de Haussmann e são uma opção excelente para caminhadas: comércio judaico, butiques da moda, galerias de arte e bares gay se sucedem nas calçadas, e atrás de portas pesadas escondem-se edifícios particulares que testemunham o esplendor do reinado de Luís XIV.

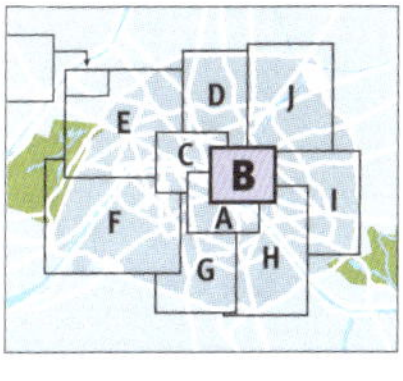

MIZNON

CHEZ JANOU

RESTAURANTES

Marché des Enfants-Rouges (**B** E2)
→ *39, rue de Bretagne (3e)*
Diariam 10h-19h
Mercado afastado da rua, com mesas para saborear sushis, tajines, massas e morcelas à moda créole. Uma delícia, especialmente com sol. Prato do dia €5-15.

Bistrot Beaubourg (**B** C3)
→ *25, rue Quincampoix (4e)*
Tel 01 42 77 48 02
Diariam 12h-1h
Perto do "Beaubourg", essa cantina é informal, com cozinha simples e preço acessível: andouillette, alho-poró ao vinagrete. Prato €6,40-16.

Miznon (**B** D3)
→ *22, rue des Écouffes (4e)*
Tel 01 42 74 83 58
Dom-qui 12h-23h
A cantina desse jovem chef israelense vem revolucionando o pão pita, servido com couve-flor ou batata-doce. Outros acompanhamentos: legumes assados, molho de grão-de-bico, carne em pedaços ou banana derretendo. Pita €7-12.

Frenchie to Go (**B** B1)
→ *9, rue du Nil (2e) Seg-sex 8h30-16h30, sáb-dom 9h30-17h30* ***Almoço*** *12h-16h*
Ao lado do Frenchie (nos 5-6), esse bar-restaurante fashion do anglófilo Grégory Marchand tem um lunchroom com lanches nada banais: sanduíche de pastrami maison, cachorro quente de pura carne, pote de chocolate e flor de sal...Sanduíche €8,50-22.

Le Tambour (**B** B1)
→ *41, rue Montmartre (2e)*
Tel 01 42 33 06 90
Diariam 8h30-6h
Restaurante atípico, fica aberto até tarde e serve steak tartare e pé de porco de Halles. Prato €14-18.

Chez Janou (**B** F3)
→ *2, rue Roger-Verlomme (3e) Tel 01 42 72 28 41*
Diariam 8h-2h ***Cozinha*** *12h-15h (16h sáb-dom), 19h-24h*
Reduto da Provença escondido atrás da place des Vosges: filé, peito de pato ao alecrim, pratos recheados etc. Como o lugar vive lotado, aguarde sua vez escolhendo um dos 80 tipos de pastis e aproveite o terraço de ar campestre. Menu €15; prato €16-24.

Café des Musées (**B** E3)
→ *49, rue de Turenne (3e) Tel 01 42 72 96 17 Diariam 12h-15h (16h sáb-dom), 19h-23h*
Melhor reservar nesse bistrô com jeitão de antigo – os pratos de Pierre Lecoutre atraem o mundo todo! Parmentier de faisão ou bœuf-carottes (carne com

LES HALLES

CENTRE GEORGES-POMPIDOU

HÔTEL DE VILLE

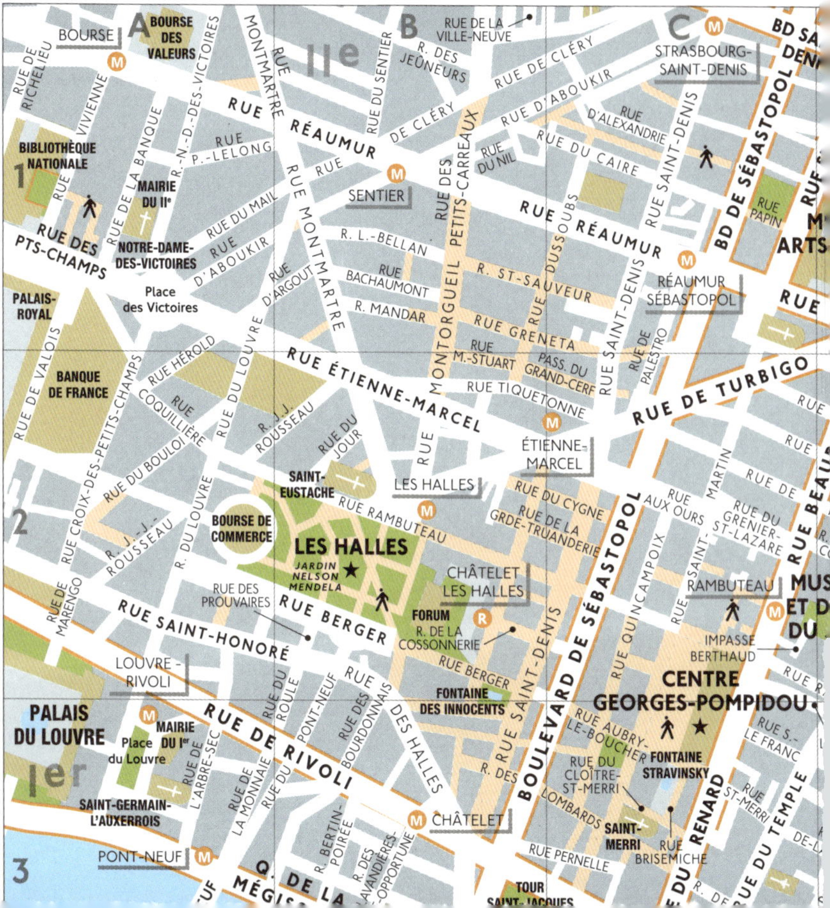

▲ Mapa C

MUSÉE CARNAVALET

HÔTEL DE SOUBISE

MUSÉE PICASSO

★ **Les Halles** (**B** B2)
Desde o séc. XII, o mercado de Les Halles alimenta a capital – no séc. XIX, Zola o chamou de "o ventre de Paris". Nos anos 1970, grandes obras de reurbanização o transformaram no polêmico Forum: uma zona para pedestres com integração de transportes (RER e metrô) e imenso centro comercial. Fruto de uma reforma ainda em curso (deve terminar em 2016), a Canopée é um pavilhão com teto ondulado de vidro que hoje recobre o Forum e que, quando terminado, dominará o geométrico jardim Nelson-Mandela. Não deixe de ver a delicada fonte esculpida dos Innocents (1549) e a imponente igreja Saint-Eustache (1532-1637), um raro exemplar renascentista em Paris. Ao norte, a rue Montorgueil, com suas barracas, talvez seja a última reminiscência do velho mercado.

★ **Centre Georges-Pompidou** (**B** C3)
→ *Rue Saint-Martin (4e)*
Tel 01 44 78 12 33
Museu Qua-seg 11h-21h (23h qui)
Surpreendente estrutura de vidro e aço com tubulações multicoloridas, imaginada em 1971 por Richard Rogers e Renzo Piano, o "Beaubourg" – assim apelidado pelos franceses – abriga um centro multidisciplinar. São imperdíveis o museu nacional de arte moderna (o mais importante da Europa), as grandes exposições que agitam Paris e a bela vista da cidade que se tem do quinto andar.

★ **Hôtel de Ville** (**B** C4)
→ *Pl de l'Hôtel-de-Ville (4e)*
Atrás de uma fachada neorrenascentista (1882), remanescente do edifício de 1535 destruído por um incêndio em 1871, encontra-se um interior famoso pelos excessos da Terceira República: dourados, paredes de madeira e lustres Baccarat.

★ **Maison Européenne de la Photographie** (**B** D4)
→ *5-7, rue de Fourcy (4e)*
Tel 01 44 78 75 00
Qua-dom 11h-19h30
Em edifício de 1706 reformado, há mostras de fotografia moderna e projeções de filmes nos fins de semana.

★ **Hôtel de Sully** (**B** E4)
→ *62, rue Saint-Antoine (4e)*
Uma das mais imponentes mansões particulares do Marais (séc. XVII), centro da vida social dos duques de Sully. Foram conservados o jardim, a estufa para cultivo de laranjas e o pátio principal com decoração Renaissance: os elementos e as estações estão representados em finos baixos-relevos.

◄ Mapa H

ÉGLISE SAINT-SULPICE

ÉGLISE SAINT-GERMAIN-DES-PRÉS

★ **Musée de Cluny** (**A** C3)
→ *6, pl Paul-Painlevé (5e)*
Tel 01 53 73 78 00
Qua-seg 9h15-17h45
Ao lado das ruínas das termas galo-romanas (sécs. I a III) está o Hôtel des Abbés de Cluny (séc. XV), mais belo exemplo de arquitetura não religiosa medieval. O museu abriga rica coleção de objetos da Idade Média, cuja principal atração é a tapeçaria *A senhora com o unicórnio* (c. 1500).

★ **Panthéon** (**A** D4)
→ *Pl du Panthéon (5e)*
Tel 01 44 32 18 00
Diariam 10h-17h15 (17h45 abr-set)
Essa igreja, concebida por Luís XV, foi concluída em 1789. Três anos depois, a Assembleia dedicou-a à memória dos grandes nomes da Revolução (Rousseau, Voltaire, Mirabeau, Marat). Só foi oficializada como mausoléu em 1885, para receber as cinzas de Victor Hugo.

★ **Jardin du Luxembourg** (**A** B3)
→ *Diariam 8h-anoitecer*
Musée du Luxembourg
19, rue de Vaugirard (6e)
Tel 01 40 13 62 00 Seg-sex 10h-19h (22h seg, sex), sáb-dom 9h-20h
Em volta do Palais du Luxembourg (1615-20), sede do Senado, o parque mais romântico da cidade, com alamedas de castanheiros, lago central, diversas esculturas, jardim inglês e a Fontaine Médicis (1630). Grandes exposições de pintura no Musée du Luxembourg.

★ **Église Saint-Sulpice** (**A** B3)
→ *Pl Saint-Sulpice (6e)*
Tel 01 42 34 59 98
Diariam 8h-19h30
As obras dessa grande igreja se estenderam de 1646 a 1780. Fachada clássica com três níveis sobrepostos (dórico, jônico e coríntio) e interior também monumental. Veja a capela dos Saints-Anges, adornada com pinturas de Delacroix como *A luta de Jacó com o anjo* (1855-61).

★ **Église Saint-Germain-des-Prés** (**A** B2)
→ *3, pl Saint-Germain-des-Prés (6e) Tel 01 55 42 81 18*
Diariam 8h-19h45
A mais antiga igreja de Paris, construída a partir de 990 sobre as fundações de uma basílica merovíngia. O deambulatório, a torre do relógio e o coro são do séc. XII; a nave abobadada, do XVII; a admirável *Entrada de Cristo em Jerusalém* (1650) do pintor clássico Laurent de La Hyre e o presbitério, do séc. XVIII.

CATHÉDRALE NOTRE-DAME

ÎLE SAINT-LOUIS

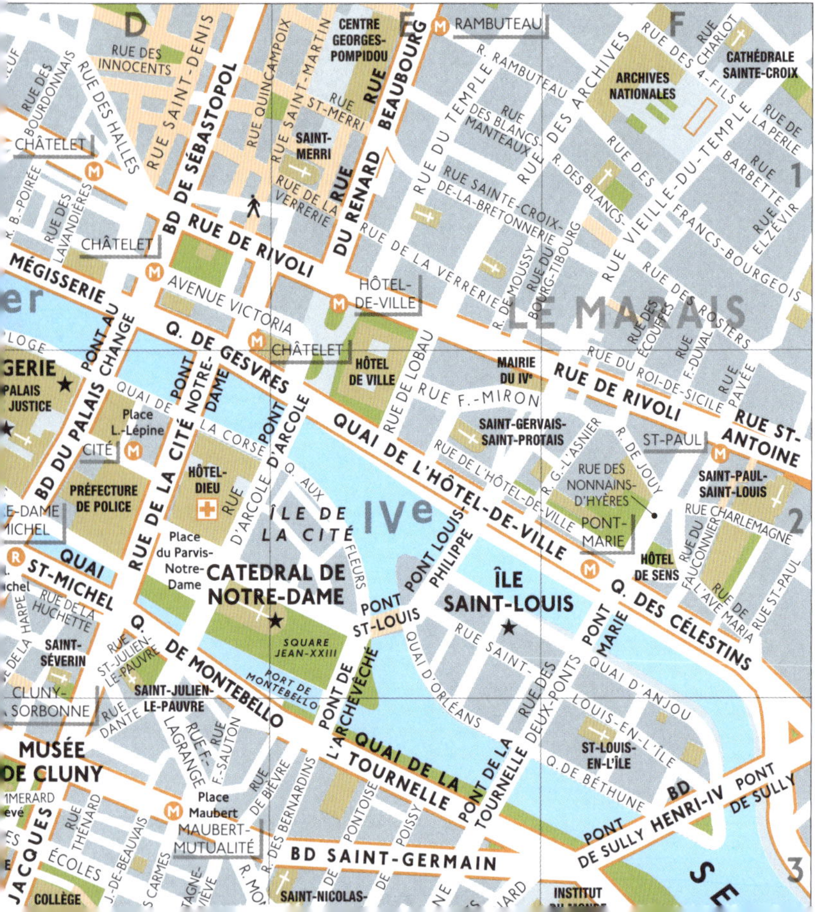

LES DEUX MAGOTS

CAVEAU DE LA HUCHETTE

VANESSA BRUNO

brasserie (diariam) ou em um jantar refinado (dias de semana, com r eserva). Creperia e "bar à hors-d'œuvres" no nº 3. Prato €17-25; menu (noite) €60.

CAFÉS, BARES, SHOWS

La Pâtisserie Viennoise (**A** C3)
→ *8, rue de l'École-de--Médecine (6ᵉ) Tel 01 43 26 60 48 Seg-sex 9h-19h*
Minúscula confeitaria--salão de chá onde todo dia se apinham estudantes e parisienses seduzidos por seus strudels, chocolates vienenses e pela gentileza dos donos. Pequeno menu no almoço.

Les Deux Magots (**A** B2)
→ *6, pl Saint-Germain-des--Prés (6ᵉ) Tel 01 45 48 55 25 Diariam 7h30-1h*
Antigo reduto dos existencialistas, esse café, aberto em 1885, atrai ainda hoje intelectuais, escritores e artistas. Também literário, o Café de Flore fica no nº 172 do Blvd Saint-Germain.

Café de la Mairie (**A** B3)
→ *8, pl Saint-Sulpice (6ᵉ) Tel 01 43 26 67 82 Seg-sáb 7h (8h sáb)-2h, dom 9h-21h*
Orgulhoso de seu terraço em frente à igreja de St-Sulpice, é procurado pelos amantes da literatura. Leituras às terças à noite.

Le Prescription (**A** B2)
→ *23, rue Mazarine (6ᵉ) Tel 09 50 35 72 87 Seg-sáb 19h-2h (4h sex-sáb), dom 20h-2h*
O ambiente abafado desse bar de coquetéis confere frescor ainda maior aos drinques surpreendentes, à base de frutas frescas e ervas como manjerona. Da mesma equipe, o Expérimental funciona no nº 37 da rue Saint-Sauveur (**B** C1).

Chez Georges (**A** B2)
→ *11, rue des Canettes (6ᵉ) Tel 01 43 26 79 15 Seg-sex 15h-2h, sáb 12h-2h, dom 19h-2h (somente o porão)*
Nesse bar fora de seu tempo, nada mudou desde 1952. De dia, os frequentadores tomam vinho ou jogam xadrez. De noite, o porão se enche de estudantes. Típico de Saint-Germain.

Caveau de la Huchette (**A** D2)
→ *5, rue de la Huchette (5ᵉ) Tel 01 43 26 65 05 Diariam 21h30-2h30 (4h qui-sáb) www.caveaudelahuchette.fr*
Há 65 anos esse porão medieval vê desfilarem gerações de amantes do jazz: ao vivo às 22h15 e fim de noite, com swing, blues e soul.

COMPRAS

Berthillon (**A** F3)
→ *29-31, rue Saint-Louis-en--l'Île (4ᵉ) Tel 01 43 54 31 61 Qua-dom 10h-20h Fecha fim jul-out*
Marrom-glacê, cacau amargo, pão de especiarias, morango silvestre... Os 75 sabores da mais famosa sorveteria de Paris deliciam paladares do mundo inteiro. Conta com um salão de chá. No verão, quando a matriz fecha, sete outros pontos espalhados pela cidade cuidam de manter essa instituição em pleno funcionamento.

Bouquinistes (**A** C2-E3)
→ *Varia conforme o clima*
Desde o séc. XIX, bancas de livros usados tomam as margens do rio, repletas de tesouros como romances esquecidos, velhas revistas e cartões-postais.

Crocodisc (**A** D3)
→ *40-42, rue des Écoles (5ᵉ) Tel 01 43 54 33 22 Ter-sáb 11h-19h*
Loja de discos usados conhecida há mais de 30 anos. Funk, reggae, rap dos EUA e world music no nº 40 da rue des Écoles, rock no nº 42 e jazz no nº 64 da rue de la Montagne Sainte-Geneviève.

Pierre Hermé (**A** B2)
→ *72, rue Bonaparte (6ᵉ) Tel 01 43 54 47 77 Diariam 10h-19h (19h30 qui-sex, 20h sáb)*
Doces com categoria de obras de arte em um ambiente elegante. Ótimos.

Moda em Saint--Germain-des-Prés
Reduto da elegância.

Vanessa Bruno (**A** B3)
→ *25, rue Saint-Sulpice (6ᵉ) Tel 01 43 54 41 04 Seg-sáb 10h-19h*
Uma das estilistas mais em voga: cortes minimalistas para um estilo romântico-rock.

Dona Giacometti (**A** B3)
→ *6, rue Saint-Sulpice (6ᵉ) Tel 01 44 07 39 13 Ter, qui-sáb 11h-19h*
Joias modernas de vidro, pedras, prata e ouro criadas por Dona em sua minúscula butique.

Les Prairies de Paris (**A** A2)
→ *6, rue du Pré-aux-Clercs (7ᵉ) Tel 01 40 20 44 12 Ter-sáb 11h-14h, 15h-19h*
Pura e leve, a grife feminina de Laetitia Ivanez tem pulôveres, saias e sapatos... Há outra loja no nº 23 da rue Debelleyme (B E2).

LA GAÎTÉ LYRIQUE

MA CAVE FLEURY

L'ÉCLAIR DE GÉNIE

cenoura). Tudo saboroso e da estação. Menu €17 (almoço seg-sex); prato €17,50-23.

CAFÉS, BARES

L'Ébouillanté (**B** D4)
→ *6, rue des Barres (4e)- Tel 01 42 74 70 52 Diariam 12h-19h (22h verão)*
Numa rua para pedestres em frente à igreja Saint--Gervais-Saint-Protais, local idílico com mesas na calçada para um chá ou almoço leve. Brunch dom.

Le Loir dans la Théière (**B** D3)
→ *3, rue des Rosiers (4e)*
Tel 01 42 72 90 61
Diariam 9h-19h30
Relaxe nas confortáveis poltronas de couro e deguste bolos, tortas e outras delícias caseiras,com uma xícara de chá. Saladas ao meio-dia.

Café Noir (**B** B1)
→ *65, rue Montmartre (2e)*
Tel 01 40 39 07 36 Seg-sáb 8h (16h sáb)-2h
Dono jovem, balcão excelente, terraço na calçada e clientela variada fazem desse bar um ponto de encontro irresistível para um aperitivo. Outro lugar bom para iniciar a noite é Le Cœur Fou, no nº 55.

L'Art Brut (**B** C2)
→ *78, rue Quincampoix (3e)*
Tel 01 42 72 17 36
Diariam 16h-2h
Os músicos e artistas criativos de Têtes Raides se encarregaram da decoração de ferro e madeira desse boteco. Música cigana, canções francesas, cerveja barata e aguardentes dos Bálcãs.

La Gaîté Lyrique (**B** C1)
→ *3 bis, rue Papin (3e)*
Ter-sex 14h-20h, sáb-dom 11h-19h
www.gaite-lyrique.net
Dedicado à cultura digital, esse novo espaço está instalado em um maravilhoso teatro do séc. XIX. Exposições, shows, projeções, videogames etc.

Raymond Bar (**B** B1)
→ *13, rue Dussoubs (2e)*
Tel 07 82 20 05 37
Ter-sáb 18h-2h
O antigo spa, hoje um bar e clube da moda, manteve o banho turco. Coquetéis no andar térreo, noites ecléticas no subsolo.

COMPRAS

La Droguerie (**B** B2)
→ *9-11, rue du Jour (1er)*
Tel 01 45 08 93 27 Seg-sáb 10h (14h seg)-19h
Armarinho encantador, com caixas repletas de botões, dezenas de potes com pedrarias e fitas de todas as cores. Dá orientações para costureiras novatas.

Ma Cave Fleury (**B** C1)
→ *177, rue Saint-Denis (2e)*
Tel 01 40 28 03 39
Seg, sáb 17h (12h sáb)-22h; ter-sex 11h-13h, 17h-22h
Cem por cento biodinâmica, essa adega divulga o champanhe único da família Fleury e os vinhos inéditos de produtores amigos. Taças a preços baixos, servidas à noite, juntamente com os lanches da casa.

Valentine Gauthier (**B** E2)
→ *58, rue Charlot (3e)*
Tel 01 48 87 68 40
Ter-sáb 11h30-19h30
Refletindo essa nova rua da moda, as criações elegantemente descontraídas da estilista Valentine Gauthier usam materiais naturais: seda, couro, lã de alpaca, algodão...

Mariage Frères (**B** D3)
→ *30, rue du Bourg-Tibourg (4e) Tel 01 42 72 28 11*
***Butique** Diariam 10h30-19h30 **Salão de chá** Diariam 12h-19h*
Magnífica loja decorada à moda colonial, vende enormes potes redondos com 700 variedades de chá de todo o mundo.

Finkelsztajn (**B** D3)
→ *27, rue des Rosiers (4e)*
Tel 01 42 72 78 91
Seg 11h-19h, qua-dom 10h-19h (19h30 sex-dom)
A melhor delicatéssen de judeus asquenazes de Paris. Opções salgadas como homus e tarama com erva-doce e doces como strudel e sernik (de queijo), além dos imbatíveis bagels.

L'Éclair de Génie (**B** E3)
→ *14, rue Pavée (4e)*
Tel 01 42 77 85 11
Diariam 11h-19h30
Inventadas pelo chef confeiteiro Christophe Adam, éclairs (bombas) boas e belas, numa variedade quase infinita: cacao noir grand cru, caramel au beurre salé (caramelo com manteiga salgada), vanille--noix de pécan (baunilha e nozes-pecãs)... ou combinações mais pesadas! Prove também os bombons.

Izraël (**B** D4)
→ *30, rue François-Miron (4e) Tel 01 42 72 66 23*
Ter-sex 11h-13h, 14h-19h; sáb 11h-19h
Quando se entra na loja de Izraël e Françoise, o aroma de pimentas e especiarias invade as narinas. As prateleiras incitam a uma verdadeira volta ao mundo, com chá das ilhas Maurício, curry indiano e sabonete de Alep. Sêmola, azeitona, arroz, pistache, lentilha etc. são vendidos a granel.

HÔTEL DE SULLY

PLACE DES VOSGES

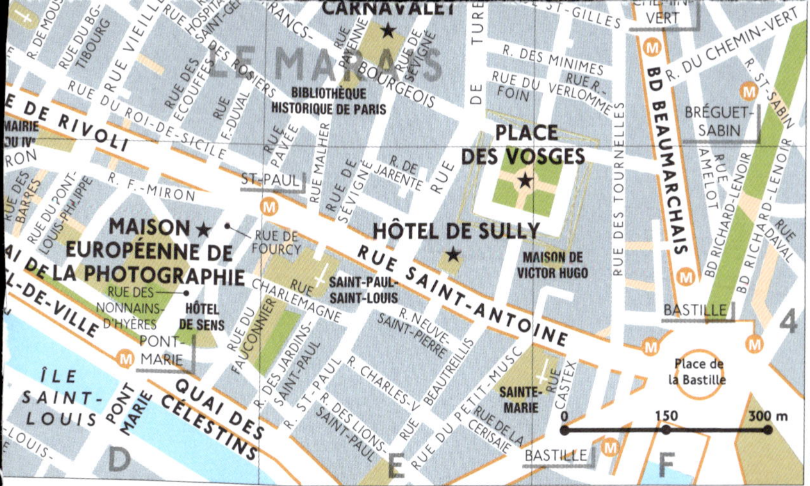

Mapa A

MUSÉE D'ART ET D'HISTOIRE DU JUDAÏSME

MUSÉE DES ARTS ET MÉTIERS

★ **Place des Vosges** (**B** E4)
→ *Maison de Victor Hugo*
Tel 01 42 72 10 16
Ter-dom 10h-18h
Casas com fachada de tijolo, frontões altos e galerias cobertas compõem a antiga e suntuosa place Royale, que ainda mantém o esplendor do reinado de Henrique IV. No nº 6 a casa de Victor Hugo hoje abriga um museu.

★ **Musée Carnavalet** (**B** E3)
→ *23, rue de Sévigné (3e)*
Tel 01 44 59 58 58
Ter-dom 10h-18h
Em duas enormes mansões do Marais, Carnavalet (séc. XVI) e Le Peletier de Saint-Fargeau (séc. XVII), um apaixonante museu que conta a história de Paris através de quadros e objetos decorativos.

★ **Hôtel de Soubise** (**B** D3)
→ *60, rue des Francs-Bourgeois (3e) Tel 01 40 27 60 96 Qua-seg 10h (14h sáb-dom)-17h30*
Uma das obras-primas do estilo rocaille em Paris, hoje abriga o Arquivo Nacional. A fachada, de um classicismo nobre, contrasta com a riqueza dos salões decorados por Boffrand em 1735: opulentas paredes de madeira brancas e douradas e altos-relevos de estuque. No primeiro andar, exposições temporárias do museu de história da França e alguns tesouros: um papiro da dinastia merovíngia, o "diploma" de Carlos Magno, o quadro *O juramento do jogo da pela...*

★ **Musée Picasso** (**B** E3)
→ *5, rue de Thorigny (3e)*
Tel 01 85 56 00 36 Ter-dom 11h30 (9h30 sáb-dom)-18h (21h 3º sáb do mês)
Bela mansão do Marais (séc. XII) dedicada a Picasso (1881-1973). Mostra obras do início de sua carreira em Barcelona às últimas telas pintadas em Mougins. É o acervo de Picasso mais importante do mundo em número e diversidade de obras.

★ **Musée d'Art et d'Histoire du Judaïsme** (**B** D2)
→ *71, rue du Temple (3e)*
Tel 01 53 01 86 60
Dom-sex 11h (10h dom)-18h
No majestoso Hôtel de Saint-Aignan (séc. XVII), a história dos judeus na França através de seu patrimônio cultural e seus costumes: manuscritos, objetos litúrgicos, obras de arte, arquivos etc.

★ **Musée des Arts et Métiers** (**B** D1)
→ *60, rue Réaumur (3e)*
Tel 01 53 01 82 00
Ter-dom 10h-18h (21h30 qui)
Conheça a máquina de calcular de Pascal, o laboratório de Lavoisier, o pêndulo de Foucault e mais 3 mil grandes invenções tecnológicas do séc. XVI até hoje.

MUSÉE DES ARTS DÉCORATIFS

JARDINS DES TUILERIES

JEU DE PAUME

★ **Opéra Garnier** (**C** D1)
→ *Tel 01 40 01 17 89*
Visitas *Diariam 10h-17h (13h em dias de espetáculo)*
Espetáculos *Tel 08 92 89 90 90*
www.operadeparis.fr
O palácio (1874) de Charles Garnier, monumento do Segundo Império dedicado "à arte, ao luxo e ao prazer", mistura os estilos neorrenascentista e barroco. Na fachada, antigas máscaras e bustos de compositores. Dentro, uma escadaria de mármore se abre em dois lances e leva à sala dourada e vermelha, sob um teto pintado por Chagall, e aos salões ornamentados de afrescos e mosaicos. A programação é dedicada à dança e à música.

★ **Pinacothèque de Paris** (**C** C1)
→ *28, pl de la Madeleine (Pinacothèque 1) e 8, rue Vignon (Pinacothèque 2) (8e) Tel 01 42 68 02 01 Diariam 10h30-18h30 (21h qua, sex)*
Duas pinacotecas frente a frente, uma inaugurada em 2007 (1) e outra em 2011 (2). Ao utilizar uma temática comum, suas exposições de arte, mesmo de épocas diferentes, se harmonizam e são um acontecimento.

★ **Place Vendôme** (**C** D2)
Monumental e austera, essa praça foi inaugurada em 1699 com forma retangular e os cantos chanfrados. Era um espaço quase fechado, com 146m por 136m. No centro, a coluna Vendôme (séc. XIX) é um tributo a Napoleão. Atrás das fachadas, de 25m de altura, encontram-se belas construções, entre elas o Hotel Ritz, no nº 15.

★ **Palais-Royal** (**C** E2)
→ *Pl du Palais-Royal (1er)*
O ambiente tranquilo dos jardins e das galerias engana: na década de 1790, desenvolveram-se sob as arcadas o comércio, a prostituição e os jogos de azar, enquanto os ideais revolucionários se propagavam. Residência do cardeal Richelieu e depois da família Orléans, hoje é sede do Conselho de Estado, do Conselho Constitucional e do Ministério da Cultura, cujas janelas dão para o pátio.

★ **Musée du Louvre** (**C** E3)
→ *Cour Napoléon (1er)*
Tel 01 40 20 50 50 Qua-seg 9h-18h (21h45 qua, sex)
Museu mais visitado do mundo, sob a pirâmide translúcida (1988) de Pei Ieoh Ming. Com cerca de 35 mil obras de arte expostas em 60 mil m^2, o Louvre, antigo palácio real, abriu suas portas ao público em 1793. No labirinto de salas – das antiguidades egípcias às pinturas europeias –, os visitantes são atraídos pelas

OPÉRA GARNIER

PINACOTHÈQUE DE PARIS

PLACE VENDÔME

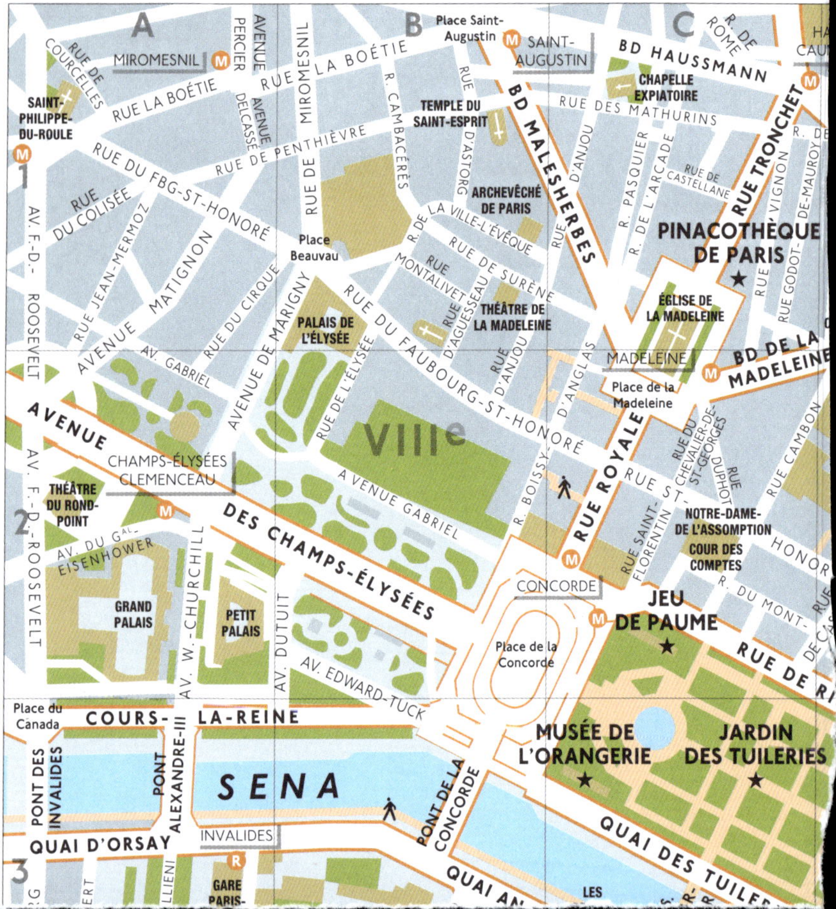

A proximidade de dois grandes museus parisienses, o Louvre e o Orsay, atraiu os turistas e fez com que lojas de suvenires invadissem as arcadas da rue de Rivoli. Nem por isso a área perdeu sua elegância. Na place de la Madeleine e na rue Royale há muitas lojas dedicadas aos prazeres da mesa. Casas de grandes estilistas e de expoentes da moda se sucedem ao longo da rue St-Honoré. A place Vendôme e a rue de la Paix acolhem as mais famosas joalherias. Para escapar do burburinho das ruas, procure os aprazíveis jardins do Palais-Royal ou das Tuileries. A rue Sainte-Anne é um encrave japonês com restaurantes sempre lotados.

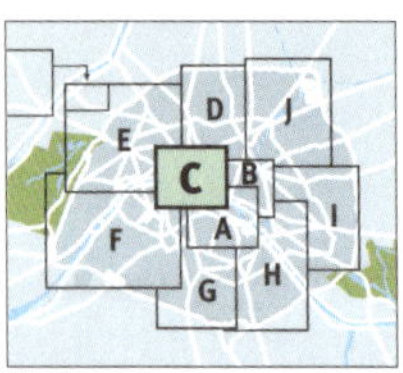

LE PETIT VENDÔME

LE GRAND VÉFOUR

RESTAURANTES

Higuma (**C** E2)
→ *32bis, rue Sainte-Anne (1er) Tel 01 47 03 38 59 Diariam 11h30-22h*
Na rua dos restaurantes japoneses, mesas de fórmica, cozinheiros em frente a woks fumegantes e ramen (caldo com talharim). Outros endereços no nº 163 da rue St-Honoré (**C** E3) e no 27 do blvd des Italiens (**C** E1). Menu €10,50-12,50; prato €7-9.

Grillé (**C** E2)
→ *15, rue Saint-Augustin (2e) Tel 01 42 96 10 64 Seg-sex 12h-21h*
Essa casa de kebabs gourmet está sempre repleta de frequentadores. A carne vem do açougue Desnoyers (**G** B4), e o pão é assado no próprio local. Duas opções (pimentão verde e cebola suave ou queijo branco e raiz-forte) de lamber os dedos. Kebab €8,80.

Le Petit Vendôme (**C** D2)
→ *8, rue des Capucines (2e) Tel 01 42 61 05 88 Seg-sex 8h-1h (fecha 17h seg), sáb 10h-17h* ***Cozinha*** *12h-15h, 18h30-23h*
Uma unanimidade, esse bistrô de Auvergne tem ar de salão de festas e é o rei do sanduíche de presunto com manteiga. Bela adega, frios de porco e queijos artesanais. Pé de porco grelhado, frango à moda da fazenda, peças de carne. Sanduíche €6; prato €16-22.

Willi's Wine Bar (**C** E2)
→ *13, rue des Petits-Champs (1er) Tel 01 42 61 05 09 Seg-sáb 12h-23h* ***Cozinha*** *12h-14h30, 19h-23h*
Os vinhos colecionados por Mark Williamson, um especialista inglês, enfeitam as paredes desse bistrô bem cuidado. Cozinha de mercado digna, com uma sobremesa fetiche: terrine de chocolate meio amargo em creme inglês. Menu €23 (almoço)-36; prato €16-22.

Aux Lyonnais (**C** E1)
→ *32, rue Saint-Marc (2e) Tel 01 42 96 65 04 Ter-sex 12h-14h, 19h30-22h; sáb 19h30-22h*
Bistrô do fim do séc. XIX dedicado à cozinha lionesa. Especialidades antigas atualizadas. Menu €32 (almoço); prato €24-34.

Le Grand Véfour (**C** E2)
→ *17, rue de Beaujolais (1er) Tel 01 42 96 56 27 Seg-sex 12h30-14h, 20h-22h*
Um dos mais famosos restaurantes de Paris, sob as arcadas do Palais-Royal. Decoração do séc. XVIII, realçada pelas iguarias do chef Guy Martin, como ravióli de foie gras e

E CAFÉ MARLY

COLETTE

SYLVIE COUDRAY, "L'ATELIER"

torta de rabo de boi com trufas. Menu €98 (almoço), €298; prato €88-118.

CAFÉS, BARES, CASA NOTURNA

Le Café Marly (**C** E3)
→ *93, rue de Rivoli (1er)*
Tel 01 49 26 06 60
Diariam 8h-2h
Café chique para tomar um drinque e admirar a pirâmide e as salas de escultura do Louvre.

Angelina (**C** D3)
→ *226, rue de Rivoli (1er)*
Tel 01 42 60 82 00 Diariam 7h30 (8h30 sáb-dom)-19h30
Inaugurada em 1903 sob as arcadas da rue de Rivoli, essa casa de chá à vienense serve um dos melhores chocolates quentes de Paris. Também para viagem.

Bar de l'Entracte (**C** E2)
→ *47, rue de Montpensier (1er) Tel 01 42 97 57 76*
Seg-sáb 10h30-16h, 17h30-2h; dom 13h-20h
Bar histórico. Atores e público o frequentam para beber e conversar com o dono ao sair do Théâtre du Palais-Royal.

Truskel Microclub (**C** F1)
→ *12, rue Feydeau (2e)*
Tel 01 40 26 59 97
Ter-sáb 18h-5h
Vidros verde-escuro, diversos tipos de cerveja, futebol em telas de TV, rock endiabrado... um pub irlandês? Não, um verdadeiro miniclube, que vibra a noite toda com pequenas bandas, DJs e, de vez em quando, after-shows de grupos cult.

Social Club (**C** F2)
→ *142, rue Montmartre (2e)*
Tel 01 40 28 05 55
Qui-sáb 23h-6h
www.parissocialclub.com
Local de prestígio entre as baladas de Paris: noites de eletro, dubstep ou hip-hop. No subsolo funciona a Silencio, seleta casa noturna de David Lynch.

Chez Carmen (**C** F1)
→ *53, rue Vivienne (2e)*
Tel 01 42 36 45 41 Ter-sáb 24h-7h30 (10h sex-sáb), dom 2h-8h (horários variáveis)
Está sem sono? Então tome um drinque com as criaturas da noite no Chez Carmen.

COMPRAS

Repetto (**C** D2)
→ *22, rue de la Paix (2e)*
Tel 01 44 71 83 12
Seg-sáb 9h30-19h30
Butique perto da Opéra, oferece às bailarinas as sapatilhas que Bardot imortalizou e Issey Miyake redesenhou, em cores e materiais variados.

Colette (**C** D2)
→ *213, rue Saint-Honoré (1er)*
Tel 01 55 35 33 90
Seg-sáb 11h-19h
Essa loja antecipa a moda em design, arte e roupas. Streetwear, livros e discos no térreo, roupas de grife no primeiro andar e bar no subsolo.

Fifi Chachnil (**C** D2)
→ *231, rue Saint-Honoré (1er)*
Tel 01 42 61 21 83
Seg-sáb 11h-19h
Lingerie glamorosa e sexy de cores vivas para Betty Boops dos dias de hoje. Lance mão do universo terno e poético de Fifi para embelezar sua feminilidade.

Françoise Montague (**C** D2)
→ *231, rue Saint-Honoré (1er)*
Tel 01 42 60 80 16 Seg-sáb 10h30 (11h sáb)-19h
Bijuterias artesanais, fabricadas em resina, pasta de vidro e cristal. Uma das coleções se inspirou nas anêmonas. Também faz peças sob medida.

Galerias do Palais-Royal (**C** E2-3)
Essas charmosas arcadas escondem lojas refinadas – tanto as mais antiquadas quanto as de tendência.

Serge Lutens
→ *142, galerie de Valois (1er)*
Tel 01 49 27 09 09
Seg-sáb 10h-19h
Em um ambiente fino, negro e malva, um tesouro de perfumes exóticos criados por Serge Lutens para a Shiseido, vendidos com exclusividade.

Didier Ludot
→ *24, galerie de Montpensier (1er) Tel 01 42 96 06 56*
Seg-sáb 11h-18h30
Didier Ludot se apaixonou pela alta-costura em 1975. Em seu cantinho descobrem-se criações de Dior, Chanel... Fique de olho também nos pretinhos básicos (125, galerie de Valois).

Anna Joliet
→ *9, rue de Beaujolais (1er)*
Tel 01 42 96 55 13
Ter-sáb 12h-19h
Loja e casa de bonecas onde se encontram as lindas caixinhas de música de Anna, que tocam chansons e trechos de óperas.

CABELEIREIRO

Sylvie Coudray, "l'Atelier" (**C** C2)
→ *400, rue Saint-Honoré (1er)*
Tel 01 42 60 45 46 ***Com hora marcada*** *Seg-sáb 9h30-19h*
Para um corte sob medida, entregue seus cabelos a Sylvie Coudray, mestre na arte de manipular a tesoura (€80 o corte). Fica em um apartamento aconchegante onde morou Robespierre.

PALAIS-ROYAL

MUSÉE DU LOUVRE

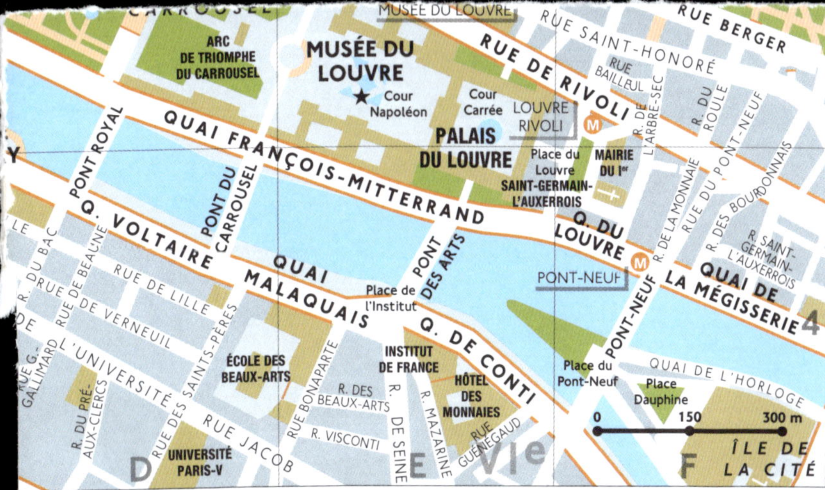

◄ Mapa A

MUSÉE DE L'ORANGERIE

MUSÉE D'ORSAY

maiores atrações: a *Vênus de Milo*, a *Mona Lisa*, *A balsa da Medusa* (Géricault), o diamante *Regente*...

★ **Musée des Arts décoratifs** (**C** D3)
→ *107, rue de Rivoli (1er)*
Tel 01 44 55 57 50
Ter-dom 11h-18h (21h qui)
Reformado em 2006, esse museu instalado em uma ala do Louvre reúne um valioso acervo de mobília e objetos de arte, da Idade Média aos dias de hoje. Veja também as seções de Moda e Artes Têxteis, e as de Publicidade. O bar restaurante tem um terraço irresistível no verão, com vista para as Tuileries.

★ **Jardin des Tuileries** (**C** C3)
→ *Jun-out: diariam 7h-23h; set-mar: diariam 7h30-19h30; abr-mai: diariam 7h-21h*
Em 1666, André Le Nôtre transformou o parque do Palais des Tuileries em um jardim em estilo francês, com abertura para oeste, caminho que mais tarde se tornou os Champs-Élysées. Os dois lagos, os terraços ao longo do Sena e da rue de Rivoli, as castanheiras e as tílias na alameda central dão ao lugar um charme de épocas passadas.

★ **Jeu de Paume** (**C** C2)
→ *1, pl de la Concorde (8e)*
Tel 01 47 03 12 50 Ter-dom 11h-21h (19h qua-dom)
O antigo Jeu de paume, construído em 1862 por Napoleão III, foi transformado em galeria de arte contemporânea em 1922. Apresenta exposições dedicadas à imagem (fotos, vídeos, instalações). Livraria e café.

★ **Musée de l'Orangerie** (**C** C3)
→ *Tel 01 44 50 43 00*
Qua-seg 9h-17h30
Semelhante ao Jeu de Paume, o Orangerie (1852) abriga as *Ninfeias*, série estupenda que incita a devaneios, assinada por Monet em 1922. No subsolo fica a coleção de arte moderna de Walter-Guillaume, com 144 obras (Cézanne, Matisse, Derain, Picasso, Modigliani e Soutine, entre outros).

★ **Musée d'Orsay** (**C** C4)
→ *1, rue de Bellechasse (7e)*
Tel 01 40 49 48 14
Ter-dom 9h30-18h (21h45 qui)
Telas e esculturas dos mestres do séc. XIX e do início do séc. XX. expostas sob o monumental vitral da antiga Gare d'Orsay (1900). Esse templo do Impressionismo destaca a obra dos maiores: Manet, Gauguin, Van Gogh, Degas, Renoir... Importantes retrospectivas. O Café Campana, decorado pela dupla de designers brasileiros, é excelente.

MUSÉE DE MONTMARTRE

CIMETIÈRE DE MONTMARTRE

★ **Sacré-Cœur** (**D** C3)
→ *Diariam 6h-22h30*
Na época da Comuna e da derrota na Guerra Franco--Prussiana de 1870, um decreto nacional (1873) para instaurar uma nova ordem moral na pátria combalida deu origem à basílica. Símbolo da colina de Montmartre e de uma Paris hoje desaparecida, sua pesada silhueta branca de estilo romano-bizantino ainda atrai multidões do mundo inteiro. Reencontre o espírito boêmio do antigo bairro de Montmartre e admire algumas das mais belas vistas da cidade (do adro ou da cúpula). No interior, destacam-se impressionantes mosaicos repletos de ouro.

★ **Église Saint-Pierre--de-Montmartre** (**D** C3)
→ *2, rue du Mont-Cenis (18e)*
Tel 01 46 06 57 63
Diariam 8h45-19h (18h sex)
Uma das mais antigas igrejas de Paris, protegida por uma fachada do séc. XVIII. Ela é tudo o que resta da Abbaye aux Dames (1147), construída sobre as prováveis ruínas de um antigo templo galo-romano.

★ **Place du Tertre** (**D** C3)
Retratistas apressados, um labirinto de cavaletes, cafés, grupos de turistas... A praça pública do antigo vilarejo de Montmartre, imortalizada em gravuras populares de Épinal, só encontra um pouco de calma nas primeiras horas da manhã. Que felicidade, então, tomar um café no terraço do La Mère Catherine, bistrô inaugurado em 1793 – a palavra bistrô ("rápido", em russo) provavelmente nasceu nesse local, em 1814.

★ **Musée de Montmartre** (**D** C3)
→ *12, rue Cortot (18e) Tel 01 49 25 89 39 Diariam 10h-18h*
A história completa do bairro, de seus cabarés, pintores e cantores, é contada por meio de cartazes, quadros, música e fotografias em uma *folie* (casa de campo) do séc. XVII que domina os famosos vinhedos de Montmartre. Exposições nos anexos reformados. Um deles é o antigo ateliê da pintora Suzanne Valadon (1865-1938), mãe de Utrillo.

★ **Cimetière de Montmartre** (**D** A3)
→ *20, av Rachel (18e)*
Tel 01 53 42 36 30 Meados mar-out: diariam 8h (8h30 sáb, 9h dom)-18h; nov-meados mar: diariam 8h (8h30 sáb, 9h dom)-17h30
O terreno ondulado, as árvores centenárias e a beleza das estátuas lembram o cemitério de Père--Lachaise. Nesse ambiente

◀ Mapa C

SACRÉ-CŒUR

ÉGLISE SAINT-PIERRE-
-DE-MONTMARTRE

PLACE DU TERTRE

No alto da colina (Butte) e acima de Abbesses (o bairro dos drinques da moda), a basílica do Sacré-Cœur atrai milhares de turistas do mundo inteiro. Foram-se os pintores, os bailes, os cabarés da Belle Époque, mas a magia de Montmartre sobrevive em suas ruas íngremes, longas escadarias e casas cobertas de vegetação. Aos pés da colina, clubes e salas de concerto animam o bairro de Pigalle, antes meio ilícito, hoje mais descolado. Vizinha próxima, a Nouvelle Athènes revela o charme de ruas cheias de prédios da época da Restauração (1814-30), onde lugares da moda abrem com muita rapidez. Uma bela transição antes de mergulhar na agitação dos Grands Boulevards.

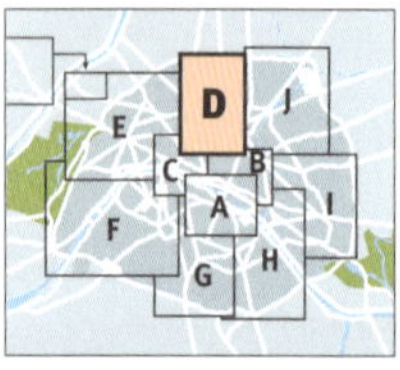

LES PÂTES VIVANTES

ALBION

RESTAURANTES

Au Bon Coin (**D** B2)
→ *49, rue des Cloÿs (18e) Tel 01 46 06 91 36 Seg-sáb 8h-24h (exceto noite sáb) **Cozinha** 12h-15h, 19h-22h30*
Voltado para a Butte, longe da multidão, um bistrô de cartão-postal, com vinhos na taça, tábuas de frios e boa comida de brasserie. Ao lado, uma adega com 200 sugestões. Prato €9-13.

Les Pâtes Vivantes (**D** C6)
→ *46, rue du Fbg-Montmartre (9e) Tel 01 45 23 10 21 Seg-sáb 12h-15h, 19h-23h*
Massas frescas modeladas à vista dos clientes (e dos passantes), depois esticadas e enroladas à mão e por fim mergulhadas em uma tigela de sopa, com carne, frango... Restaurante chinês enfumaçado, lotado, animado. Para quem gosta de ambientes bem vivos. Prato €9,80-14,50.

Bouillon Chartier (**D** C6)
→ *7, rue du Fbg-Montmartre (9e) Tel 01 47 70 86 29 Diariam 11h30-22h*
Uma magnífica "casa de pasto" belle époque, pitoresca e turística, com culinária caseira (aipo com molho picante, salada com bacon, guisado de vitela) em ambiente animado. Prato €11.

Le Béguin (**D** A4)
→ *2, rue du Cardinal-Mercier (9e) Tel 01 42 81 58 20 Seg-sáb 9h-2h **Cozinha** 12h-15h, 19h-23h30*
Ao redor do bar ou de mesas (de época), os jovens são maioria nesse bistrô dos anos 1950, com jeitão retrô. No menu, tartare au couteau (steak tartare) e outros clássicos bem caseiros. Menu almoço: €17,50-23,50; prato €13,90.

Chez Georgette (**D** B5)
→ *29, rue Saint-Georges (9e) Tel 01 42 80 39 13 Ter-sex 12h-14h45, 19h30-23h*
Uma brasserie de decoração vintage que enche rapidamente (reserve) de fregueses à procura de sua cozinha simples e deliciosa, feita com legumes do jardim: caçarola de champignon, pé de porco cozido, pintado com batatas sautées. Prato €16,50.

Albion (**D** C5)
→ *80, rue du Fbg-Poissonnière (10e) Tel 01 42 46 02 44 Seg-sex 12h15-14h, 19h-22h*
Mantida por Hayden Clout e Matthew Ong, sommelier e chef, respectivamente, essa adega-restaurante

AU RENDEZ-VOUS DES AMIS

ANOUSCHKA

PETIT PAN

serve pratos divinos e criativos. Prato €38-40.

CAFÉS, BARES, CINEMA, CASAS NOTURNAS

Café Lomi (**D** D3)
→ *3ter, rue Marcadet (18e)*
Tel 09 80 39 56 24
Diariam 10h-19h
Uma casa de torrefação em um loft com decoração de concreto aparente que transforma a pausa para o café numa degustação. Espressos brasileiros ou africanos e lanches frescos. Workshops sáb.

Au Rendez-Vous des Amis (**D** C4)
→ *23, rue Gabrielle (18e)*
Tel 01 46 06 01 60
Diariam 10h-1h30
Escondido em uma ruela elevada a dois passos da onda de turistas, um café de amigos e habitués.

La Fourmi (**D** B4)
→ *74, rue des Martyrs (18e)*
Tel 01 42 64 70 35
Seg-sáb 8h-2h (3h30 sex-sáb), dom 9h30-2h
A poucos metros de La Cigale, esse café é frequentado pela juventude do 18e o dia todo. Um café? Uma salada ao meio-dia? Um aperitivo? Saideira? Acontece de tudo nesse lugar.

Olympic Café (**D** D3)
→ *20, rue Léon Tel 01 42 59 97 09 Ter-sáb 17h-2h*
No bairro da Goutte-d'Or, um grande bar animado e dinâmico, de freguesia eclética e boêmia. No porão, shows para todos os gostos: jazz, música cigana e africana, reggae...

Le Louxor (**D** D4)
→ *170, blvd de Magenta (10e) Tel 0892 68 05 79 www.cinemalouxor.fr*
Salvo da ruína, clássico, esse cinema (1921) singular de estilo neoegípcio reencontrou seu charme em 2013. São três salas (a melhor decoração na nº 1) e uma programação "arte e ensaio". No último andar, bar art déco (reservado aos espectadores) e terraço com vista para a Sacré-Cœur.

Le Dirty Dick (**D** B4)
→ *10, rue Frochot (9e)*
Diariam 18h-2h
Os descolados de So-Pi (sul de Pigalle) se estapeiam por um lugar nesse bar antigo, com hostess e reminiscências de praia tropical: máscaras polinésias, afresco de pôr do sol e coquetéis de nomes condizentes, servidos sob o som de ritmos agitados.

Rex Club (**D** C6)
→ *5, blvd Poissonnière (2e) Tel 01 42 36 10 96 Qui-sáb 23h30-7h www.rexclub.com*
Famoso na noite dos Grands Boulevards, o Rex é um templo da música eletrônica há mais de vinte anos. Som possante a cargo dos melhores DJs.

COMPRAS

Anouschka (**D** A5)
→ *6, av du Coq (9e)*
Tel 01 48 74 37 00 ***Com hora marcada*** *Seg-sex 12h-19h*
Endereço cult dos fãs da moda. Anouschka, ex-modelo e estilista, atende num apartamento burguês onde seus achados requintados, assinados pelos mais famosos estilistas, estão classificados por décadas: vestidos dos anos de 1930, trajes masculinos da década de 1970...

Petit Pan (**D** C4)
→ *10bis, rue Yvonne-Le Tac (18e) Tel 01 42 23 63 78 Qui-sex, dom-ter 10h30-13h30, 14h30-19h30; qua, sáb 10h30-19h30*
Móbiles, pipas de papel de seda e pijamas coloridos da China para as crianças. Outros endereços no nº 76 da rue F.-Miron (**B** D4) e no 7 da rue de Prague (**I** B3).

À la Mère de Famille (**D** C6)
→ *35, rue du Fbg-Montmartre (9e) Tel 01 47 70 83 69 Seg-sáb 9h30-20h, dom 10h-13h*
Desde 1761, essa mãe atenciosa provê os parisienses de balas e outros doces: pirulitos, confeitos, docinhos de amêndoas e marrons-glacês.

Marché Saint-Pierre (**D** C4)
→ *2, rue Charles-Nodier (18e)*
Tel 01 46 06 92 25 Seg-sáb 10h-18h30 (19h sáb)
Há mais de oito décadas, essa loja de tecidos é o paraíso de donas de casa, costureiros e decoradores.

Guerrisol (**D** C4)
→ *17, blvd de Rochechouart (9e) Tel 01 45 26 13 12*
Seg-sáb 10h-19h30
Casacos, camisetas e sapatos aos montes... Uma preciosa dica: vasculhe bem esses bazares ingratos, para dar a sorte de encontrar uma camisa Maje ou um casaco Georges Rech por menos de €10! Do mesmo estilo, os depósitos Sympa ficam nos nºs 66, 68 e 72.

Sakina M'sa (**D** D3)
→ *6, rue des Gardes (18e)*
Tel 01 56 55 50 90
Seg-sex 10h-13h, 14h-18h; sáb 14h-19h
Sob o lápis dessa estilista das ilhas Comores, macacões azuis de trabalho e outros materiais recicláveis viram vestidos, saias ou casacos de linhas perfeitas e cores alegres.

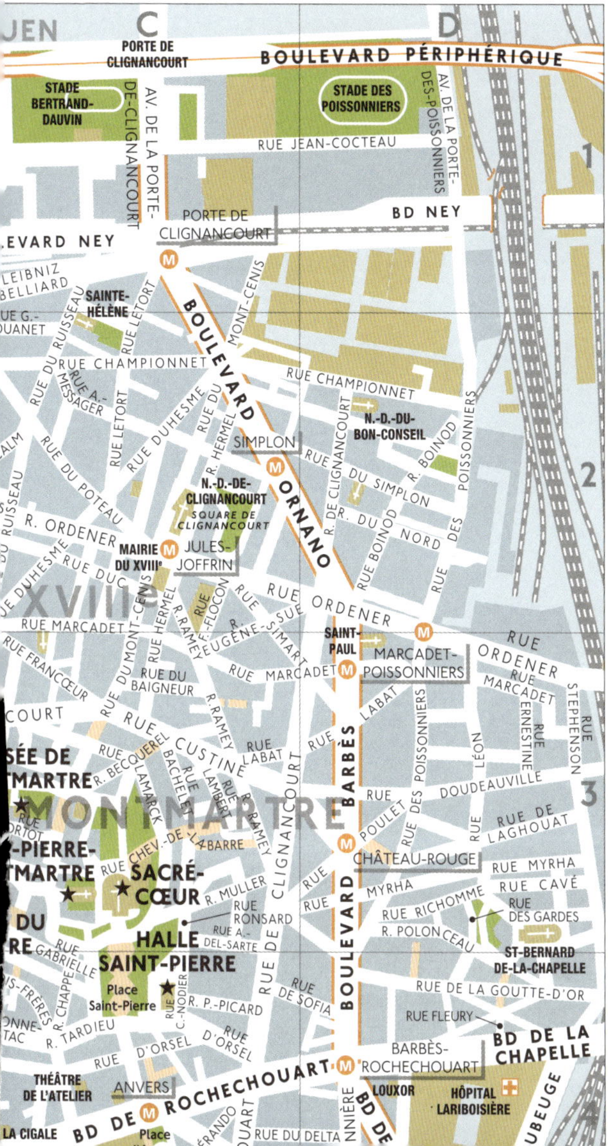

HALLE SAINT-PIERRE

NOUVELLE ATHÈNES

MUSÉE GUSTAVE-MOREAU

▼ Mapa J

PASSAGES COUVERTS

MUSÉE GRÉVIN

bucólico estão enterrados Dumas (filho), Stendhal, Vigny, Berlioz, Offenbach, Degas, Clouzot, Feydeau, Guitry, Nijinski, Truffaut e personalidades dos arredores, como o caricaturista Poulbot, a dançarina “la Goulue” e a cantora Dalida.

★ **Halle Saint-Pierre** (**D** C4)
→ *2, rue Ronsard (18ᵉ)*
Tel 01 42 58 72 89 Set-jul: seg-sáb 11h-18h (19h sáb), dom 12h-18h; ago: seg-sex 12h-18h
Esse prédio com estrutura de ferro e vidro data de 1868 e já acomodou um mercado. Hoje abriga um museu dedicado às artes primitivas e naïf, além de arte popular do mundo inteiro. Inclui uma livraria especializada e um salão de chá no térreo.

★ **Nouvelle Athènes** (**D** B5)
O triângulo place Pigalle/ Notre-Dame-de-Lorette/ Sainte-Trinité, do séc. XIX, transborda esplendor romântico: jardins ao estilo inglês, pátios, passagens abobadadas e edifícios neoclássicos, onde vivia uma elite de artistas, como Berlioz, Sand, Degas, Chopin e Dumas. Ao redor da praça Saint-Georges, as fachadas da década de 1830 exibem motivos neorrenascentistas.

★ **Musée Gustave-Moreau** (**D** B5)
→ *14, rue de La Rochefoucauld (9ᵉ) Tel 01 48 74 38 50*
Seg, qua-qui 10h-12h45, 14h-17h15; sex-dom 10h-17h15
Cerca de 5 mil desenhos e 1.200 quadros do pintor Gustave Moreau encontram-se na antiga mansão-estúdio do artista, transformada em museu em 1903. Veja também por perto o Musée de la Vie Romantique, com seu charmoso café, no nº 16 da rue Chaptal (**D** B4).

★ **Passages Couverts** (**D** C6)
→ *10 e 11, blvd Montmartre (2ᵉ)*
Foi necessária muita habilidade arquitetônica para construir essas passagens de ferro que escondem as irregularidades do terreno. A Panoramas foi inaugurada em 1799, seguida pela Jouffroy, em 1846, e pela Verdeau, em 1847. As lojas parecem pequenos museus com seus livros, brinquedos e câmeras fotográficas antigas.

★ **Musée Grévin** (**D** C6)
→ *10, blvd Montmartre (9ᵉ)*
Tel 01 47 70 85 05
Seg-sex 10h-18h30, sáb-dom 9h30-19h
Centenas de celebridades, personalidades influentes e figuras históricas estão imortalizadas em trabalhos de cera. O museu foi inaugurado em 1882 pelo jornalista Arthur Meyer e pelo caricaturista Alfred Grévin.

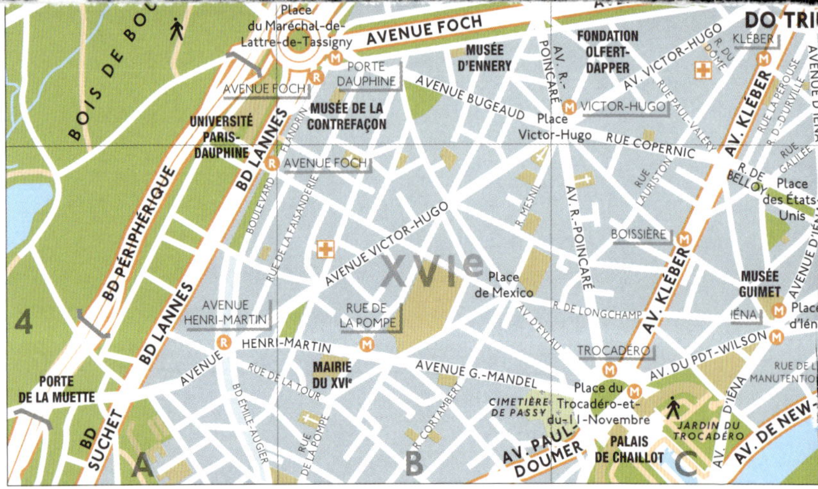

MUSÉE JACQUEMART-ANDRÉ

MUSÉE NISSIM-DE-CAMONDO

PARC MONCEAU

★ **Place de la Concorde** (**E** F4)
Ao contrário das outras praças reais, essa, projetada para Luís XV em 1754, tem fachadas em apenas um de seus lados, mantendo assim a perspectiva do eixo triunfal: a leste, as Tuileries e o Palácio do Louvre; a oeste, a grandiosa avenue des Champs-Élysées. No centro, fica o Obelisco de Luxor, presente do vice-rei do Egito, em 1836. De ambos os lados, há fontes com ninfas, e, ao redor da praça, dezoito colunas rostrais desenhadas por Hittorff (1830).

★ **Petit Palais** (**E** E4)
→ *Av Winston-Churchill (8e)*
Tel 01 53 43 40 00
Ter-dom 10h-18h (20h qui, durante exposições)
Esse elegante edifício foi erigido em 1900 em homenagem à arte francesa. Passou a abrigar o Musée des Beaux-Arts de la Ville de Paris, cujo acervo vai da Antiguidade à Belle Époque, com um grande espaço dedicado à pintura francesa do séc. XIX.

★ **Grand Palais** (**E** E4)
→ *Av Winston-Churchill (8e)*
Tel 01 44 13 17 30 ***Exposições***
Qua-seg 10h-20h (22h qua)
Edifício construído para a Exposição Universal de 1900, com magníficos vitrais e cuja nave monumental acolhe grandes retrospectivas. A ala de trás abriga o Palácio da Descoberta, com experiências científicas interativas que cativam as crianças.

★ **Arco do Triunfo** (**E** C3)
Emblema napoleônico, o arco triunfal (1836) exibe as obras dos grandes escultores da época. É preciso aproximar-se da Marselhesa de Rude (lado Champs-Élysées) para perceber toda a sua imponência. Do topo, vista insuperável da praça cujo nome é apropriado ao seu formato de estrela. Sob o arco, o Túmulo do Soldado Desconhecido (1920).

★ **Fondation Louis-Vuitton** (fora do mapa **E** A3)
→ *Av du Mahatma-Gandhi (16e)*
Tel 01 40 69 96 00 Seg, qua-sex 12h-19h (23h sex); sáb-dom 11h-20h
Concebida por Frank Gehry, essa incrível nave está instalada desde 2014 no coração do bois de Boulogne. Doze velas de vidro, com formas arredondadas inovadoras, são enquadradas por madeira e ferro, em homenagem às estufas dos palácios da Belle Époque. Exposições de arte contemporânea.

★ **La Défense** (**E** A1)
Esse bairro de negócios, criado na década de 1960 e repleto de torres, prolonga o eixo triunfal por 7km para oeste. O Grande Arche (Otto von Spreckelsen, 1989) é

PLACE DE LA CONCORDE

PETIT PALAIS

GRAND PALAIS

À noite, a vista da famosa avenue des Champs-Élysées, que majestosamente se estende até o Arco do Triunfo, a partir da place de la Concorde, é inesquecível. Seus clubes seletos, lojas e cinemas atraem uma multidão variada. Ao sul, ficam o Petit e o Grand Palais e a Ponte Alexandre III, de 1900, encimada por pégasos dourados. Por perto, a avenue Montaigne, vitrine de todos os luxos, lar de estilistas e criadores. Ao norte, o burguês e discreto 17e, centrado no parque Monceau e salpicado de edifícios haussmannianos, fica mais boêmio na rue des Dames, em direção a Batignolles. Na direção de Clichy, o antigo encrave ferroviário passou por uma grande reforma.

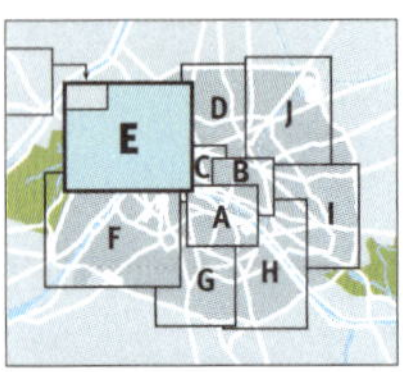

IRÈNE ET BERNARD

LE BAL CAFÉ

RESTAURANTES

Irène et Bernard (**E** F1)
→ *58, rue Gauthey (17e)*
Tel 01 42 29 56 16 Diariam 8h (9h dom)-2h ***Cozinha*** *12h-23h (dom 19h-22h)*
Esse lugar de encontro do bairro de Batignolles, reformado e revestido à moda antiga, guardou sua alma de bistrô. Bons pratos de brasserie, com batatas fritas à moda da casa. Brunch ao estilo inglês nos fins de semana. Prato €9,80-14.

Atao (**E** F1)
→ *86, rue Lemercier (17e)*
Tel 01 46 27 81 12
Ter, qui-sáb 12h-15h, 19h-24h (dom 12h-24h no verão)
Pausa para frutos do mar, depois do mercado de Batignolles: Atao ("eternidade", em bretão) oferece ostras e outros mariscos em abundância, vindos diretamente de Morbihan. Também pot-au-feu do mar, lagosta e caranguejo em sanduíches. Prato € 11-47.

La Ripaille (**E** F2)
→ *69, rue des Dames (17e)*
Tel 01 45 22 03 03
Seg-sex 12h-14h, 19h30-22h; sáb 19h30-22h30
Convertido, esse antigo açougue hoje privilegia o peixe. Cozinha criativa à base de bons produtos, entre eles o foie gras de Corrèze. Menu €12-20 (almoço); prato €20.

Le BAL Café (**E** F2)
→ *6, impasse de la Défense (18e) Tel 01 44 70 75 51*
Qua, sex 12h-20h; qui 12h-14h, 20h-22h30; sáb-dom 11h-15h (16h dom)
No totalmente reformulado café do espaço BAL, duas jovens chefs compõem menus inspirados na New British Food: rabada à Guinness etc. Menu €15-24.

La Maison de l'Aubrac (**E** D3)
→ *37, rue Marbeuf (8e)*
Tel 01 43 59 05 14
Dom-ter 12h-24h, qua-sáb 24h (cozinha 12h-7h)
Próximo ao "Champs", uma casa bem conhecida onde se faz de tudo com o boi. "Do forcado ao garfo": as carnes provêm da criação familiar do dono, Christian Valette, em Aveyron. Prato €20-39.

Relais de Venise – L'Entrecôte (**E** C2)
→ *271, blvd Pereire (17e)*
Tel 01 45 74 27 97 Diariam 12h-14h30, 19h-23h45
Vizinha do Palais des Congrès, essa brasserie oferece desde 1959 um único prato: um tenro contrafilé, servido com batatas fritas e molho "secreto". Não há reservas: chegue cedo ou mais tarde para evitar a fila de espera. Prato €27.

SHOWCASE

LA PÂTISSERIE DES RÊVES

LES CAVES TAILLEVENT

CAFÉS, BARES, CASAS NOTURNAS

Café Jacquemart--André (**E** E3)
→ *158, blvd Haussmann (8e) Tel 01 45 62 11 59 Diariam 11h45-17h30 (18h30 seg, sáb) Salão de chá a partir das 15h*
Casa de chá elegante no museu Jacquemart--André, para beber algo sob um teto com pinturas de Tiepolo ou degustar um brunch no terraço que dá para o jardim.

Pasteleria Belém (**E** F2)
→ *47, rue Boursault (17e) Tel 01 45 22 38 95 Ter-dom 8h-20h*
Doceria como as de Lisboa, muito simples e enfeitada com azulejos. Cinco mesas para experimentar os deliciosos pastéis de nata.

3 Pièces Cuisine (**E** F2)
→ *101, rue des Dames (17e) Tel 01 44 90 85 10 Seg-sex 8h-1h (2h ter-sex), sáb-dom 9h30-2h (1h dom)*
Aberto para a rue des Dames, café de bairro jovem e colorido com ambiente descontraído.

Les Caves Populaires (**E** F2)
→ *22, rue des Dames (17e) Tel 01 53 04 08 32 Diariam 8h (11h dom)-2h*
Destoando dos vizinhos descolados, um bar sem muita decoração, a não ser pela lousa de avisos, que oferece vinhos e cervejas a preços democráticos. A partir das 19h, o ambiente fica bem animado.

Le Bistrot des Cinéastes (**E** F2)
→ *7, av de Clichy (17e) Tel 01 53 42 40 34 Diariam 18h-24h*
Fica no andar de cima do cinema de arte e ensaio, que substituiu o cabaré mítico do Père Lathuille. A atmosfera, porém, perdura nesse cantinho para relaxar: livros, poltronas confortáveis e banquetas...

Showcase (**E** E4)
→ *Pont Alexandre-III, Cours La-Reine (8e) Tel 01 45 61 25 43 Qui-sáb 23h30-6h www.showcase.fr*
Numa antiga marina sob a Ponte Alexandre III, esse clube logo se tornou ponto de referência da moda na Rive Droite. Música ao vivo e noites de tecno.

Chez Raspoutine (**E** D3)
→ *58, rue de Bassano (8e) Tel 01 47 20 02 90 Qui-sáb 23h30-5h*
Esse pomposo cabaré russo, suntuosamente kitsch, hoje é um clube da moda com noites de DJs. Para conseguir entrar nesse lugar seleto, talvez seja melhor usar gorro e peliça!

Queen (**E** D3)
→ *102, av des Champs--Élysées (8e) Tel 01 53 89 08 90 Diariam 23h30 (24h ter)-6h www.queen.fr*
O clube mítico dos anos 1980 e 1990, um pouco calmo e comportado, mesmo com a constante presença de grandes DJs. Noites "Disco Queen" às segundas-feiras e hip-hop ("Shake Thursdays") às quintas. Música house e eletro mais convencional nos fins de semana.

COMPRAS

Ladurée (**E** F4)
→ *16, rue Royale (8e) Tel 01 42 60 21 79 Seg-sáb 8h-19h30 (20h sex-sáb), dom 10h-19h*
Uma loja tradicional, aberta em 1862. Oferece dezessete sabores de macarons (biscoitos), como chocolate, baunilha, pétalas de rosa e caramelo com manteiga salgada. Outros endereços no nº 75 dos Champs-Élysées (**E** D3) e no nº 21 da rue Bonaparte (**A** B2).

Mercado orgânico de Batignolles (**E** F2)
→ *Blvd des Batignolles (entre a rue de Turin e a rue Puteaux) Sáb 9h-15h*
Mercado com produtos 100% orgânicos (frutas, legumes, carnes e queijos). Experimente o creme de algas e beba o suco de broto de trigo. Preços altos e qualidade garantida.

La Pâtisserie des Rêves (**E** D2)
→ *19, rue Poncelet (17e) Tel 01 42 67 71 79 Ter-sex 10h-19h30, sáb-dom 9h-19h30 (18h dom)*
Torta triangular Saint--Honoré, de laranja, bolo de duas cores... Philippe Conticini revisita a pâtisserie e até mesmo seu famoso Paris-Brest com amêndoas. Outros endereços no nº 111 da rue de Longchamp (**E** B4), com salão de chá sáb-dom, e no nº 93 da rue du Bac (**G** B1).

Les Caves Taillevent (**E** D3)
→ *228, rue du Fbg-St--Honoré (8e) Tel 01 45 61 14 09 Seg-sáb 10h-19h30*
Mais de 1.500 vinhos (consulte o enólogo) nesse famoso *caviste*. Dos vinhos de pequenos produtores, a bom preço, até os mais raros grands crus.

Avenue Montaigne (**E** E4)
Concentra os maiores nomes da alta-costura francesa: Vuitton no nº 22, Christian Dior no 30, Nina Ricci no 39, Chanel no 42.

ARCO DO TRIUNFO

LA DÉFENSE

▶ Mapa D

▼ Mapa C/D

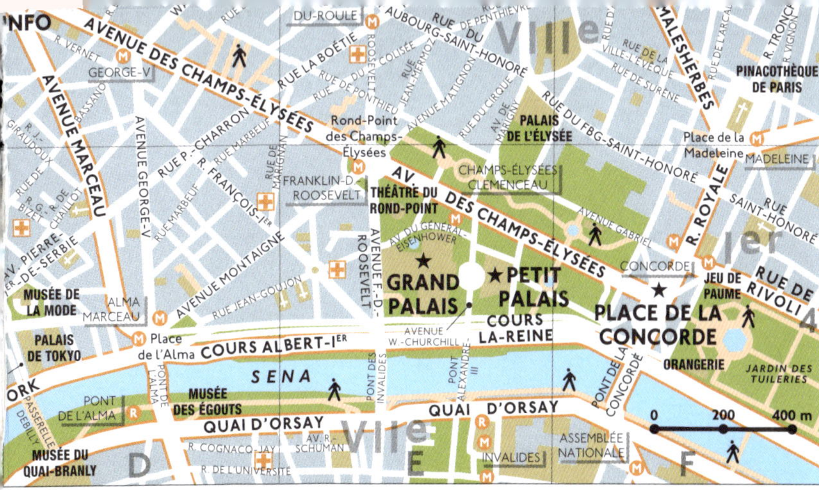

MUSÉE CERNUSCHI

CITÉ DES FLEURS

um gigantesco cubo vazado numa versão contemporânea do Arco do Triunfo. Veja também, ao longo da esplanada, as estátuas de Miró e um *Stabile* de Calder.

★ **Musée Jacquemart-André** (**E** E3)
→ *158, blvd Haussmann (8e)*
Tel 01 45 62 11 59 Diariam 10h-18h (20h30 seg e sáb durante exposições)
Nos esplêndidos aposentos de sua morada do Segundo Império, a coleção privada do casal Nélie Jacquemart e Édouard André: mestres holandeses do séc. XVII na biblioteca, Escola Francesa do séc. XVIII nos salões, pintura inglesa na sala para fumantes e Renascimento italiano no primeiro andar.

★ **Musée Nissim-de-Camondo** (**E** E2)
→ *63, rue de Monceau (8e)*
Tel 01 53 89 06 50
Qua-dom 10h-17h30
No ambiente refinado de sua mansão, na orla do parque Monceau, a rica coleção do banqueiro Moïse de Camondo (1860-1935) é voltada às artes decorativas e à pintura do séc. XVIII. Há móveis de Carlin, Riesener, louça de Sèvres de estilo "Buffon", ourivesaria etc.

★ **Parc Monceau** (**E** E2)
→ *Mai-ago: diariam 7h-22h; set: diariam 7h-21h; out-abr: diariam 7h-20h*
No centro desse bairro chique, o parque do séc. XVIII, em estilo inglês do séc. XIX, é pontuado de estátuas e ruínas. Em dias de sol, seus gramados recebem gente que vem correr e fazer piquenique.

★ **Musée Cernuschi** (**E** E2)
→ *7, av Vélasquez (8e) Tel 01 53 96 21 50 Ter-dom 10h-18h*
De suas numerosas viagens à Ásia (Japão e depois China), o financista Henri Cernuschi (1821-1896) trouxe quase 5 mil objetos de arte: bronzes, estatuetas funerárias dos sécs. X-XI etc. O destaque é o buda amida (séc. XVIII) de 4,4m de altura.

★ **Le BAL** (**E** F2)
→ *6, impasse de la Défense (18e) Tel 01 44 70 75 50*
Qua-sex 12h-20h (22h qui), sáb-dom 11h-20h (19h dom)
Dentro de um antigo salão de bailes, o centro artístico imaginado por Raymond Depardon se consagra à imagem. Exposições contundentes de fotos e vídeos.

★ **Cité des Fleurs** (**E** F1)
→ *154, av de Clichy ou 59, rue La Jonquière (17e)*
Diariam 7h-19h (13h dom)
Um pequeno recanto campestre perto da ruidosa avenue de Clichy. Essa alameda de 230m, ladeada de casas, foi loteada em 1847 sob a condição de cada morador cultivar no mínimo três plantas com flores em seu jardim.

MUSÉE DU QUAI-BRANLY

PALAIS DE TOKYO / MUSÉE D'ART MODERNE DE LA VILLE DE PARIS

★ **Invalides** (**F** F2)
→ *Tel 01 44 42 37 72*
Abr-out: seg, qua-sáb 10h-18h; ter 10h-21h (exceto out); nov-mar: diariam 10h-17h
Esse domo dourado de 107m pode ser visto de longe. Erguido entre 1671 e 1676 por Luís XIV, era o hospital dos soldados do rei. Hoje abriga as igrejas de Saint-Louis e do Dôme, o túmulo de Napoleão I, os museus da Ordem da Libertação, dos Planos-Relevos e do Exército, e um memorial dedicado a Charles-de-Gaulle.

★ **Musée Rodin** (**F** F2)
→ *79, rue de Varenne (7e)*
Tel 01 44 18 61 10
Ter-dom 10h-17h45 (21h qua)
Instalado no charmoso Hôtel de Biron (séc. XVIII), onde viveu Auguste Rodin (1840-1917), o museu reúne cerca de 500 esculturas e 8 mil fotos e desenhos. Algumas das obras mais conhecidas – *O pensador*, *A porta do Inferno* e *Os burgueses de Calais* – ficam no jardim.

★ **Torre Eiffel** (**F** D1)
→ *Tel 01 44 11 23 23*
Meados jun-ago: diariam 9h-0h45; set-meados jun: diariam 9h30-23h45
Símbolo de Paris, a torre foi erguida em 1889 para a Exposição Universal. Continua sendo a construção mais alta da cidade, com 324m de altura. Do último andar é possível enxergar a uma distância de 67km em dias claros. Mas é da base que se percebe a grandeza desse colosso de 10.100 toneladas. Ao leste, o Champ-de-Mars se estende até a École Militaire e oferece linda vista.

★ **Trocadéro** (**F** D1)
Dominando o Sena, o Palais de Chaillot (1937) se debruça sobre a esplanada do Trocadéro e abriga o Musée de l'Homme, o de la Marine e a Cité de l'Architeture et du Patrimoine. O mirante tem a vista mais bela da Torre Eiffel. No verão os lagos e as fontes se transformam em piscinas. Nos jardim, o aquário construído para a Exposição Universal de 1878 conta com 43 tanques.

Cité de l'Architecture et du Patrimoine
→ *Tel 01 58 51 52 00*
Qua-seg 11h-19h (21h qui)
No térreo, a espetacular galeria de moldagem tem pórticos de abadias e de outras construções da época romana até o séc. XVIII. No segundo piso há maquetes e arquitetura moderna e contemporânea.

★ **Musée du Quai-Branly** (**F** D1)
→ *37, quai Branly (7e)*
Tel 01 56 61 70 00 Ter-dom 11h-19h (21h qui-sáb)
Projeto mais ousado do iní-

INVALIDES

MUSÉE RODIN

TORRE EIFFEL

F

Invalides / Tour Eiffel / Trocadéro

Ministérios, embaixadas e instituições de renome ocupam as ruas do 7e arrondissement. De repente surge o domo dourado dos Invalides, cujas linhas clássicas dominam uma vasta esplanada. A leste, a Escola Militar, depois o Champ-de--Mars, jardim de sonhos com uma sucessão de mansões com vista para a Torre Eiffel. Aos pés da "dama de ferro", na margem direita, o Trocadéro, magistral conjunto da década de 1930, encerra a perspectiva. Atrás, o cobiçado 16e, em torno da avenue Foch, ganha ares provincianos em Passy e Auteuil. Na margem esquerda, o familiar 15e vive um cotidiano tranquilo.

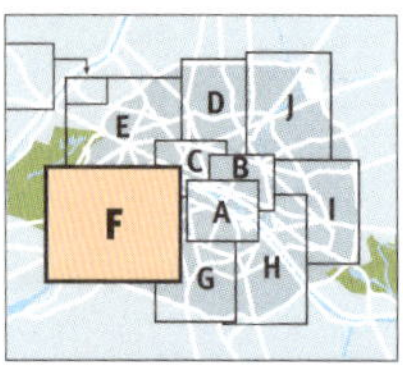

AU DERNIER MÉTRO

CAFÉ CONSTANT

RESTAURANTES

Au Pied de Fouet (**F** F2)
→ *45, rue de Babylone (7e)*
Tel 01 47 05 12 27
Seg-sáb 12h-14h30, 19h-23h
Nesse antigo entreposto de carruagens, chão que range, guardanapos em xadrez vichy e pratos do tempo da vovó: sopa, carnes assadas, ameixas ao vinho... Ao lado, num anexo, hambúrgueres e saladas. Prato €8,90-12,90.

Au Dernier Métro (**F** D2)
→ *70, blvd de Grenelle (15e)*
Tel 01 45 75 01 23 Diariam 6h30-2h ***Cozinha*** *11h-1h*
Sob o metrô aéreo (ou quase) vibra esse bistrô basco, principalmente na hora dos jogos. No cardápio, linguiça com pimenta de Espelette, tábua de grelhados, presunto de Bayonne e outros pratos revigorantes do Sudoeste. Prato €13.

Café Constant (**F** E1)
→ *139, rue Saint-Dominique (7e) Tel 01 47 53 73 34*
Diariam 7h (8h dom)-23h
Cozinha *12h-23h*
Um café de bairro banal? Com certeza não. Cardápios em lousas com os pratos do sério chef Christian Constant: ovo mimosa, frango com manteiga de ervas. Menu €16, €23 (almoço); prato €16-28.

Noura (**F** E1)
→ *27, av Marceau (16e)*
Tel 01 47 23 02 20
Diariam 8h-24h
Um dos melhores restaurantes libaneses de Paris. Mezze, chich taouk, chawarma e pães. Balcão para comer de pé. O proprietário está sempre presente. Prato €17,50-23,50.

Le Grand Pan (**F** E4)
→ *20, rue Rosenwald (15e)*
Tel 01 42 50 02 50
Seg-sex 12h-14h, 19h30-23h
Bistrô reservado aos bons vivants, deve o nome a uma canção de George Brassens (que morava no bairro). Carnes de boa qualidade e vinhos artesanais de barril. Em frente, no nº 18, o Petit Pan serve lanches de dia e tapas à noite. Prato €14 (almoço), €18-32.

Le Chalet des Îles (**F** A1)
→ *Lago inferior do bois de Boulogne (16e)*
Tel 01 42 88 04 69
Mar-out: diariam 12h-14h30, 19h30-22h30; nov-fev: qua-sáb 12h-14h30, 19h30-22h30; dom 12h-14h30
No coração do bois de Boulogne, esse grande chalé, oferecido por Napoleão III a sua esposa, Eugênia, aninha-se numa ilha acessível por barco. Cozinha clássica com inspiração asiática.

LA PAGODE

L'ENTREPÔT

LAURENT DUBOIS

Menu €25-32 (almoço seg-sex); prato €19-32.

L'Ami Jean (**F** E1)
→ *27, rue Malar (7e)*
Tel 01 47 05 86 89
Ter-sáb 12h-14h, 19h-23h30
A decoração, basca rústica, reflete as origens desse pequeno restaurante barulhento e caloroso. Os pratos inventivos de Stéphane Jégo são inspirados nas estações do ano. Menu €35-78; prato €40-90.

CAFÉS, BARES

Palais de Tokyo (**F** D1)
→ *13, av du Président-Wilson (16e) Tel 01 47 20 00 29* ***Smack*** *Qua-seg 12h-20h* ***Tokyo Eat*** *Qua-seg 12h-15h, 20h-23h* ***Monsieur Bleu*** *Diariam 12h-23h (23h30 qui-sáb)*
Esse palácio imponente dedicado à arte é também ponto de encontro da moda em Paris: café (Smack), pratos eurasiáticos descolados (Tokyo Eat), brasserie superchique (Monsieur Bleu), sala de concertos e clube seleto (Yoyo). Não deixe de visitar, no verão, os dois terraços que se estendem sobre a esplanada na margem do Sena.

Carette (**F** D1)
→ *4, pl du Trocadéro-et-du--11-Novembre (16e) Tel 01 47 27 98 85 Diariam 7h-23h45*
Estabelecimento tradicional criado em 1927 onde simpáticas senhoras tomam brunch e saboreiam famosos macarons de chocolate.

Club des Poètes (**F** F1)
→ *30, rue de Bourgogne (7e)*
Tel 01 47 05 06 03
Ter-sex 12h-15h, 20h30-último cliente; sáb 20h30-último cliente Horários variam
Quarta, sexta e sábado às 20h em ponto há declamação de poemas e bons vinhos nesse pequeno e despretensioso albergue. Não se atrase, pois a poesia não pode esperar!

À la Petite Marquise (**F** E2)
→ *50, av de La Motte-Picquet Tel 01 47 34 94 03 Diariam 7h30-19h30* ***Almoço*** *12h-15h*
Bem perto do Champ-de--Mars, um salão de chá que saiu diretamente dos comportados anos 1950, com suas cadeiras de couro sintético. Café, servido com petit fours, ganaches de chocolate, sablés (biscoitos) frescos...

Général Beuret (**F** E3)
→ *9, pl du Général-Beuret (15e) Tel 01 42 50 28 62 Diariam 8h-2h*
Pequeno bar descolado (cheio de super-heróis) para passar bons momentos. Magnífico balcão redondo e terraço sobre a calçada.

Le Breguet (**F** F3)
→ *72, rue Falguière (15e)*
Tel 01 42 79 97 00
Seg-sáb 17h (18h sáb)-1h30
Boa surpresa nesse bairro calmo: um barzinho descolado onde os fregueses (na maioria estudantes) se encontram para tomar vinho a bom preço ou drinques arrasadores.

CINEMA

La Pagode (**F** F2)
→ *57bis, rue de Babylone (7e) Tel 01 45 55 48 48 www.etoile-cinemas.com*
Um cinema dentro de um pagode – insólito presente de François-Émile Morin, diretor do Bon Marché, a sua esposa, em 1895. Duas salas (entre elas a "japonaise", histórica) e um pequeno jardim-salão de chá. Filmes de grande apelo popular em versão original.

COMPRAS

Laurent Dubois (**F** D2)
→ *2, rue de Lourmel (15e) Tel 01 45 78 70 58 Ter-sáb 9h (8h30 sáb)-20h*
Uma das queijarias mais famosas de Paris: cerca de 300 variedades à venda. Os produtos são embalados a vácuo para viagem.

Davoli (**F** E1)
→ *34, rue Cler (7e) Tel 01 45 51 23 41 Ter, qui-sáb 8h30, 19h30; dom 8h30-13h*
Essa mercearia e charcutarie está apinhada de delícias, como presunto de Parma, parmesão, vinagre balsâmico da casa... No coração da rua comercial Cler.

L'Entrepôt (**F** C1)
→ *50, rue de Passy (16e)*
Tel 01 45 25 64 17
Seg-sáb 10h30-19h
Localizada na sofisticada rue de Passy, uma concept store e um paraíso vintage, que fica num ateliê do séc. XIX. Bolsas, roupas, brinquedos e artigos para casa.

Franck et Fils (**F** C1)
→ *80, rue de Passy (16e)*
Tel 01 44 14 38 00
Seg-sáb 10h-19h (20h sáb)
Resumo da moda parisiense: joias e acessórios no térreo, estilistas contemporâneos no primeiro andar (Isabelle Marant, Vanessa Bruno etc.). Há também um café.

Marché aux Livres (**F** E4)
→ *104, rue Brancion (15e)*
Sáb-dom 9h-18h
Na feira de cavalos, onde funcionavam os antigos abatedouros de Vaugirard, ficam hoje 60 sebos. Um local em que se pode garimpar livros antigos ou em liquidação – para depois lê-los num banco do parque Georges-Brassens.

TROCADÉRO

CITÉ DE L'ARCHITECTURE ET DU PATRIMOINE

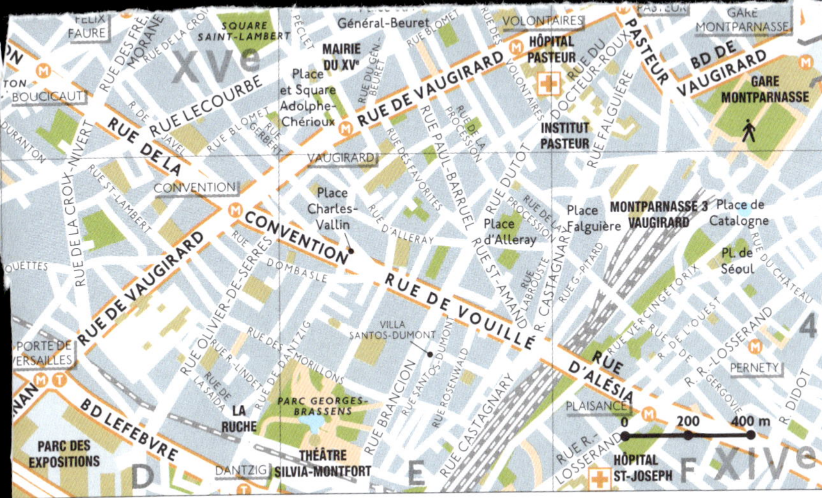

◀ Mapa G

MUSÉE GUIMET

CAMINHADA ARQUITETÔNICA

PARC ANDRÉ-CITROËN

cio do séc. XXI, inaugurado em 2006. Criado por Jean Nouvel, o edifício-ponte, que se projeta sobre uma vegetação farta, segue a curva do Sena. O interior sem divisórias destaca os 3.500 objetos expostos: arte primitiva e obras de diversos continentes.

★ **Palais de Tokyo** (**F** D1)
→ *13, av du Président-Wilson (16e) Tel 01 81 97 35 88 Qua-seg 12h-24h* ***Musée d'Art Moderne*** *Tel 01 53 67 40 00 Ter-dom 10h-18h (22h qui durante exposições temporárias)*
Na ala oeste do edifício, de 1937, o Centro de Criação Contemporânea – um espaço dedicado à arte experimental e multidisciplinar – ocupa quatro andares com exposições, restaurantes, cinemas e salas de concertos. Na ala leste, o Museu de Arte Moderna com sua rica coleção de mestres do séc. XX: Matisse, Dufy, Picasso, Braque...

★ **Musée Guimet** (**F** D1)
→ *6, pl d'Iéna (16e) Tel 01 56 52 53 00 Qua-seg 10h-17h45*
Aberto em 1889 graças à generosidade de Emile Guimet (1836-1918), esse museu nacional de artes asiáticas reúne um excepcional acervo de antiguidades da Índia ao Japão, passando pelo Sudeste Asiático e pela mais rica coleção de arte khmer fora do Camboja.

★ **Musée Marmottan-Monet** (**F** B1)
→ *2, rue Louis-Boilly (16e) Tel 01 44 96 50 33 Ter-dom 10h-18h (20h qui)*
O edifício do colecionador Paul Marmottan (1856-1932) empresta seu elegante design estilo Império aos quadros à óleo e aos desenhos de Claude Monet e outros impressionistas (Morisot, Renoir, Manet...).

★ **Caminhada arquitetônica** (**F** B2)
O sul do 16e arr., calmo e burguês, esconde tesouros do fim do séc. XIX e início do XX: as linhas art nouveau de Hector Guimard na rue La Fontaine (nos nos 14, 19 e 60); os volumes geométricos de Mallet-Stevens na rua que tem seu nome; e as formas puras de Le Corbusier na Villa La Roche (square du Dr-Blanche, 10), que abriga a fundação do arquiteto.

★ **Parc André-Citroën** (**F** C3)
→ *Seg-sex 8h-anoitecer, sáb-dom 9h-anoitecer* ***Balão*** *depende do clima Tel 01 44 26 20 00*
Às margens do Sena, um parque de 14ha criado em 1992 no local da antiga fábrica da Citroën. Um grande balão sobe até 150m de altura, propiciando uma vista inusitada da cidade.

FONDATION HENRI-CARTIER-BRESSON

CIMETIÈRE DU MONTPARNASSE

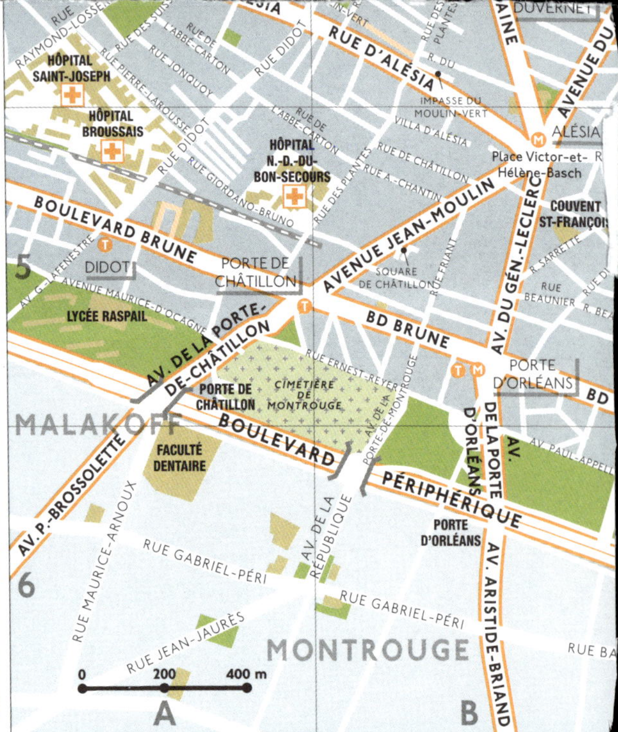

★ **Musée Maillol** (**G** B1)
→ *61, rue de Grenelle (7e)*
Tel 01 42 22 59 58 Diariam 10h30-19h (21h30 sex)
Dois museus em um. Nessa instituição estão expostas as esculturas de Aristide Maillol (1861-1944), as pinturas e os desenhos do começo de sua carreira e a coleção de arte moderna de Dina Vierny, musa do artista. Há também obras de Degas, Kandinsky, Matisse, Dufy e Foujita.

★ **Tour Montparnasse** (**G** B3)
→ ***Cobertura*** *Entrada pela rue de l'Arrivée (15e) Tel 01 45 38 52 56 Abr-set: diariam 9h30-23h30; out-mar: diariam 9h30-22h30 (23h sex-sáb)*
Segundo mais alto da França (210m) e um dos raros arranha-céus parisienses, desperta polêmica sobre sua estética desde a inauguração, em 1973. Da cobertura, no 59º andar, belas vistas tanto de dia quanto à noite.

★ **Musée Bourdelle** (**G** A2)
→ *18, rue Antoine-Bourdelle (15e) Tel 01 49 54 73 73 Ter-dom 10h-18h*
Aluno de Rodin, Antoine Bourdelle (1861-1929) instalou-se em 1885 nesse local, onde produziu *Héracles arqueiro* e *Centauro moribundo*, além de bustos de Beethoven. Nos jardins, no apartamento, no ateliê do escultor e numa ala moderna assinada por Portzamparc (1992), mais de 500 gessos, bronzes, mármores etc.

★ **Fondation Henri Cartier-Bresson** (**G** B3)
→ *2, impasse Lebouis (14e) Tel 01 56 80 27 00 Ter-sex, dom 13h-18h30 (20h30 qua); sáb 11h-18h45*
A fundação criada pelo célebre fotógrafo (1908-2004) num belo ateliê artístico do início do séc. XX apresenta grandes exposições de fotos documentais (às vezes, de desenhos e de esculturas).

★ **Cimetière du Montparnasse** (**G** B3)
→ *3, blvd Edgar-Quinet (14e) Tel 01 44 10 86 50 Meados mar-out: diariam 8h (8h30 sáb, 9h dom)-18h; nov-meados mar: diariam 8h (8h30 sáb, 9h dom)-17h30*
Lugar de repouso de escritores e artistas que, nos sécs. XIX e XX, fizeram a fama do bairro: Baudelaire, Maupassant, Beauvoir e Sartre (sepultados juntos), Beckett, Duras, Zadkine e Gainsbourg estão nesse cemitério de 19ha, inaugurado em 1824.

★ **Musée Zadkine** (**G** C2)
→ *100bis, rue d'Assas (6e) Tel 01 55 42 77 20 Ter-dom 10h-18h*
A casa-ateliê de Ossip Zad-

MUSÉE MAILLOL

TOUR MONTPARNASSE

MUSÉE BOURDELLE

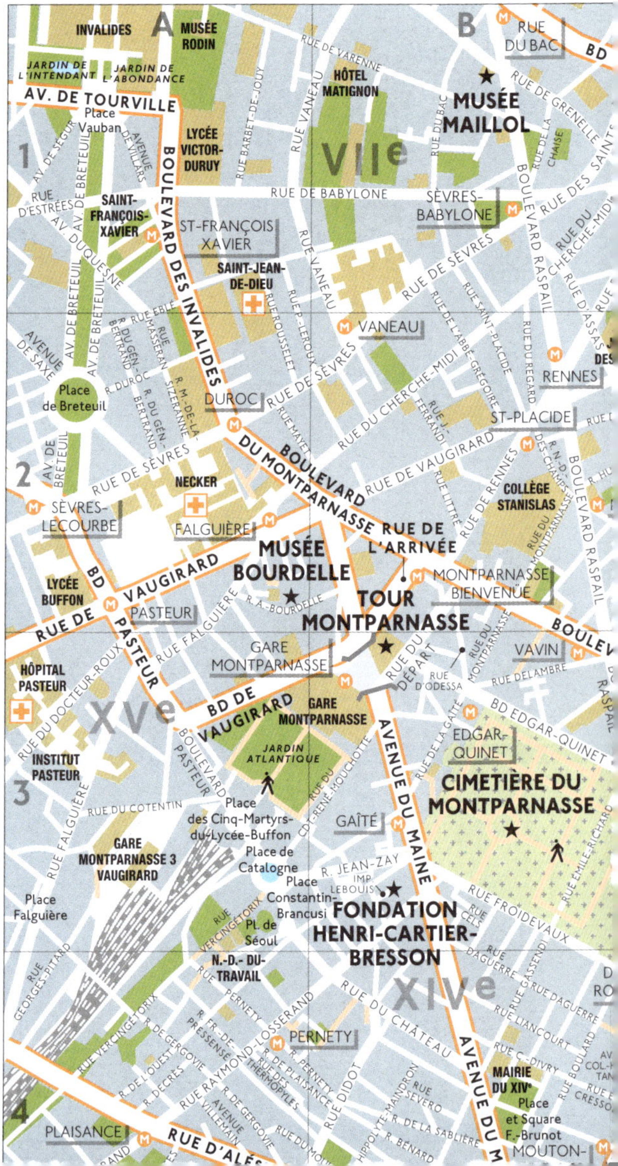

G Montparnasse

Do nobre Faubourg Saint-Germain, as ruas du Cherche-Midi e du Bac, com suas lojas, seguem na direção de Montparnasse, encimado pela imponente torre dos anos 1970. Ao redor do carrefour Vavin, cafés silenciosos e brasseries art déco testemunham a era de ouro do bairro, que durante a Belle Époque (1880-1914) e os "anos loucos" (1919-29) atraía toda a boemia artística. Do outro lado do cemitério fica a place Denfert--Rochereau e a rue Daguerre, via comercial só para pedestres. Ao sul, o 14ᵉ arrondissement, residencial e repleto de bistrôs, estende-se até o charmoso parque Montsouris.

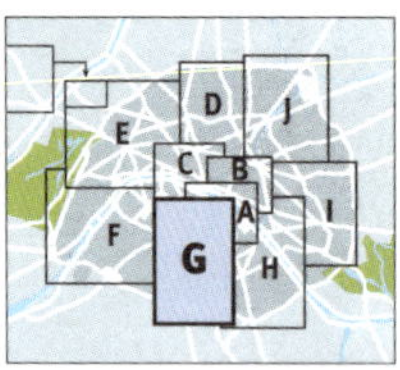

TI JOS

LES PETITS PLATS

RESTAURANTES

Ti Jos (**G** B3)
→ *30, rue Delambre (14ᵉ) Tel 01 43 22 57 69 Seg, qua-sex 12h-14h30, 19h-23h30; ter 12h-14h30; sáb-dom 19h-23h30*
Uma das boas crêperies (de 1937) do Montparnasse dos bretões, decorada com móveis antigos de carvalho maciço. Prato €4-14,50.

Enzo (**G** B4)
→ *72, rue Daguerre (14ᵉ) Tel 01 43 21 66 66 Seg 19h-22h30; ter-sex 12h-14h30, 19h-22h30; sáb 12h-14h30*
Pequena trattoria com algumas mesas e cadeiras altas onde se devoram as deliciosas massas e pizzas, acompanhadas de vinho siciliano. Melhor reservar, mas pode-se levar para casa. Prato €10-15,50.

La Cabane à Huîtres (**G** B2)
→ *4, rue Antoine-Bourdelle (15ᵉ) Tel 01 45 49 47 27 Qua-sáb 12h-14h15, 19h-22h15*
À sombra da torre Montparnasse uma (quase) cabana semelhante às de Arcachon. O jovial Francis Dubourg, dono do lugar, serve ostras criadas à moda antiga, na areia, com um vinho de Entre--deux-Mers. Foie gras, carne magra defumada e em tiras. Menu €21,90.

La Cantine du Troquet (**G** A4)
→ *101, rue de l'Ouest (14ᵉ) Tel 01 45 40 04 98 Ter-sáb 11h45-14h15, 19h-22h45*
É preciso chegar cedo no bistrô basco de Christian Etchebest, pois o local não aceita reservas. No quadro-negro, peixe a la plancha, empadão de salsicha basca, pudim de arroz e outros pratos retrô e de bistrô. Prato €16,50-20.

Les Petits Plats (**G** B5)
→ *39, rue des Plantes (14ᵉ) Tel 01 45 42 50 52 Seg-sáb 12h-14h, 19h30-22h*
Revestido em madeira e com molduras em gesso ornamentadas, esse bistrô serve pratos grandes ou pequenos, para degustar peixe tartare, carnes de Aubrac, legumes já esquecidos... Menu €18 (almoço)-45; prato €15-24.

L'Assiette (**G** B4)
→ *181, rue du Château (14ᵉ) Tel 01 43 22 64 86 Qua-dom 12h-14h30, 19h30-22h30*
Em um espaço com estilo antigo, David Rathgeber, treinado por Alain Ducasse, leva receitas tradicionais à excelência. Quenelles de lúcio, tête de veau (cabeça de vitela) ou crème caramel (pudim de leite), de uma inegável so-

LUCERNAIRE

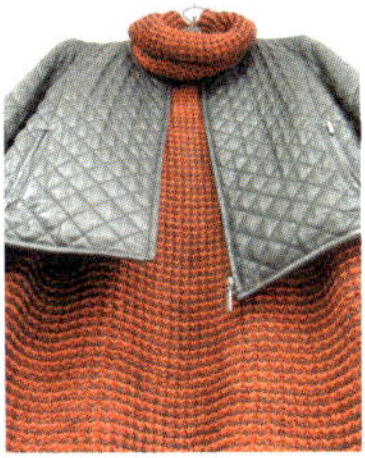

CHERCHEMINIPPES

LA GRANDE ÉPICERIE DE PARIS

fisticação. Menu € 23-35 (almoço); prato €26.

La Régalade (G B5)
→ 49, av Jean-Moulin (14e) Tel 01 45 45 68 58 Seg 19h-23h, ter-sex 12h-14h30, 19h-23h (23h30 sex)
Esse neobistrô, escondido perto de Maréchaux, está sempre cheio. Azulejos e balcão retrô, mesas apertadas, pratos regionais belamente servidos. Menu €37.

CAFÉS, BARES

Café Tournesol (G B3)
→ 9, rue de la Gaîté (14e) Tel 01 43 27 65 72 Diariam 7h30-3h
No meio dos teatros e das sex shops da rue de la Gaîté, esse café jovem e colorido logo se tornou o quartel-general de todo o 14e arrondissement.

La Coupole (G B3)
→ 102, blvd du Montparnasse (14e) Tel 01 43 20 14 20 Diariam 8h30-24h (23h dom-seg)
Ponto de encontro dos "montparnos" dos anos 1930, a maior brasserie de Paris continua bacana, embora a boemia já não seja a mesma. Sublime salão art déco com 33 pilastras pintadas.

Shannon Pub (G C2)
→ 23, rue Bréa (6e) Tel 01 43 26 34 70 Diariam 18h (19h dom)-4h30
Pub em estilo inglês com decoração divertida, entre a cantina de *Star Wars* e o interior de um submarino. Para beber e dançar até tarde. Ótima alternativa às danceterias de Montparnasse.

La Closerie des Lilas (G C3)
→ 171, blvd du Montparnasse (6e) Tel 01 40 51 34 50 Diariam 11h-1h30 (brasserie 12h-1h)
Gide, Lênin, Hemingway, Beckett... Plaquinhas douradas nas mesas cobertas pela pátina do tempo testemunham a antiga glória desse café fundado em 1847. Madeira escura, banquetas de marroquim no piano-bar e terraço atrás de arbustos espessos.

TEATRO, CINEMA

Lucernaire (G C2)
→ 53, rue Notre-Dame-des--Champs (6e) Tel 01 45 44 57 34 Seg-sex 10h-22h (0h30 ter-sex), sáb 11h-0h30, dom 15h-22h www.lucernaire.fr
No coração do bairro estudantil de Vavin, espaço multicultural dinâmico, ao mesmo tempo teatro, cinema, galeria de fotos, restaurante com bons preços e bar descolado com terraço na calçada.

L'Entrepôt (G A4)
→ 7-9, rue F.-de-Pressensé (14e) Tel 01 45 40 07 50 www.lentrepot.fr
Cinema (filmes independentes, debates e cinefilosofia) valorizado por um restaurante com jardim sombreado e um show-bar de programação variada: slam, jazz, rock, teatro de improviso, leituras...

COMPRAS

Cherchemininippes (G B2)
→ 102, rue du Cherche-Midi (6e) Tel 01 45 44 97 96 Seg-sáb 11h-19h
Sete brechós chiques, no coração dessa rua elegante: feminino (nos nos 102 e 114), acessórios (106), decoração (109), infantil (110), masculino (111) e adolescentes (124).

Le Bon Marché (G B1)
→ 24, rue de Sèvres (7e) Seg-sáb 10h-20h (21h qui-sex)
Fundada por Aristide Boucicaut, a pioneira das lojas de departamentos (1887) tem estrutura concebida por Gustave Eiffel. Símbolo de opulência.

La Grande Épicerie de Paris
→ 38, rue de Sèvres (7e) Tel 01 44 39 81 00 Seg-sáb 8h30-21h
A mais fina das mercearias: produtos perfeitos, delícias do mundo todo e pratos para degustação.

Stock Sonia Rykiel (G B4)
→ 112, rue d'Alésia (14e) Tel 01 43 95 06 13 Seg-sáb 12h (11h ter-sáb)-19h
Com listras ou outras estampas, a dinâmica moda de Sonia Rykiel brilha nessa rua conhecida por suas lojas de grandes estoques e preços mais em conta. Butique infantil no nº 64.

Boucherie Hugo Desnoyer (G B4)
→ 45, rue Boulard (14e) Tel 01 45 40 76 67 Ter-sex 7h-13h, 16h-20h; sáb 7h-17h
Perto da rue Daguerre, um dos melhores açougueiros parisienses: vitela, assados e terrines, além de presuntos e salsichas.

P. Boursault (G B5)
→ 71, av du Général-Leclerc (14e) Tel 01 43 27 93 30 Ter-sex 9h-13h, 15h30-19h30; sáb-dom 9h-19h30 (13h dom)
Cerca de 250 variedades de queijo, entre eles vários de leite de cabra e um (raro) bleu de Termignon. Caves onde se apuram camemberts ao conhaque e os époisses da Borgonha para um canapê com cascas de uva. É possível embalar a vácuo para viagem.

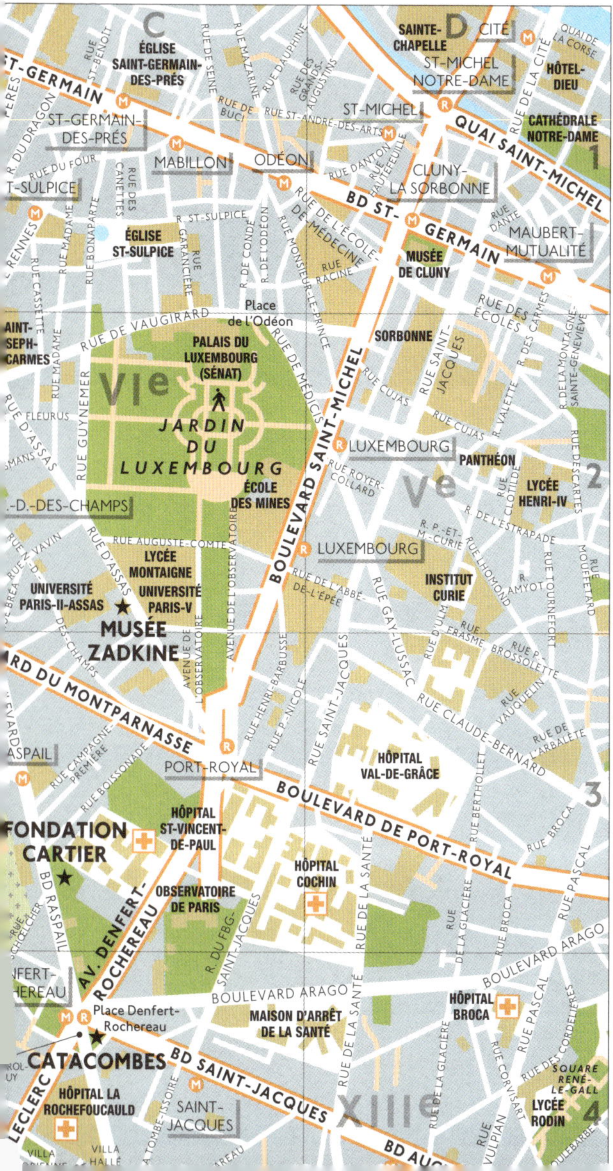

FONDATION CARTIER

CATACOMBES

CATACOMBES

▶ Mapa A

▼ Mapa H

PARC MONTSOURIS

CITÉ INTERNATIONALE UNIVERSITAIRE

kine (1890-1967), escultor de origem bielorrussa que se instalou em Montparnasse em 1909, época em que o bairro era o epicentro da vida artística parisiense. Mármore, madeira, bronze, gesso – esses os materiais utilizados nas obras, inspiradas na mitologia grega (a exemplo do imponente *Prometeu*) ou na literatura.

★ **Fondation Cartier** (**G** C3)
→ *261, blvd Raspail (14ᵉ) Tel 01 42 18 56 50 Ter-dom 11h-20h (22h ter)*
Num surpreendente edifício de vidro e aço, concebido em transparências por Jean Nouvel (1994), exposições temporárias bastante originais de arte contemporânea: instalações, fotos, vídeos... Atrações: noites Nomades (concertos, poesia, dança etc.), ateliês para crianças.

★ **Catacombes** (**G** C4)
→ *1, av du Colonel-Henri-Rol-Tanguy (14ᵉ) Tel 01 43 22 47 63 Ter-dom 10h-19h*
"Pare! É aqui o império da morte." É sob essas palavras que o visitante adentra esse ossuário, disposto em antigas pedreiras entre 1786 e 1814, quando os cemitérios paroquiais foram demolidos por questões de higiene. Ao longo de um labirinto de corredores obscuros, crânios e fêmures de cerca de 6 milhões de parisienses, metodicamente empilhados a partir do séc. XIX. Vale a visita.

★ **Parc Montsouris** (**G** C5)
→ *Seg-sex 8h-anoitecer, sáb-dom 9h-anoitecer*
Um dos maiores parques da capital (15ha), criado por Aphand de acordo com o planejamento de grandes obras do barão Haussmann, que projetou um grande espaço verde nos quatro pontos cardeais de Paris.

★ **Cité Internationale Universitaire** (**G** C6)
→ *17, blvd Jourdan (14ᵉ) Tel 01 44 16 64 00 Diariam 7h-22h*
Criado em 1925, esse vasto campus universitário tem cerca de 12 mil estudantes de 140 nacionalidades. Suas 40 "casas" se espalham por um parque de 340 mil m²; algumas apresentam a arquitetura inspirada no país de seus habitantes. Outras têm origem no Modernismo, como a da Suíça (1930) e a do Brasil (1954), saídas da prancheta de Le Corbusier. A imponente Maison Internacional (1936), inspirada no castelo de Fontainebleau, abriga um teatro dinâmico e uma cafeteria aberta a todos, com um terraço bucólico e ótimos preços.

MUSÉUM NATIONAL D'HISTOIRE NATURELLE

GRANDE MOSQUÉE DE PARIS

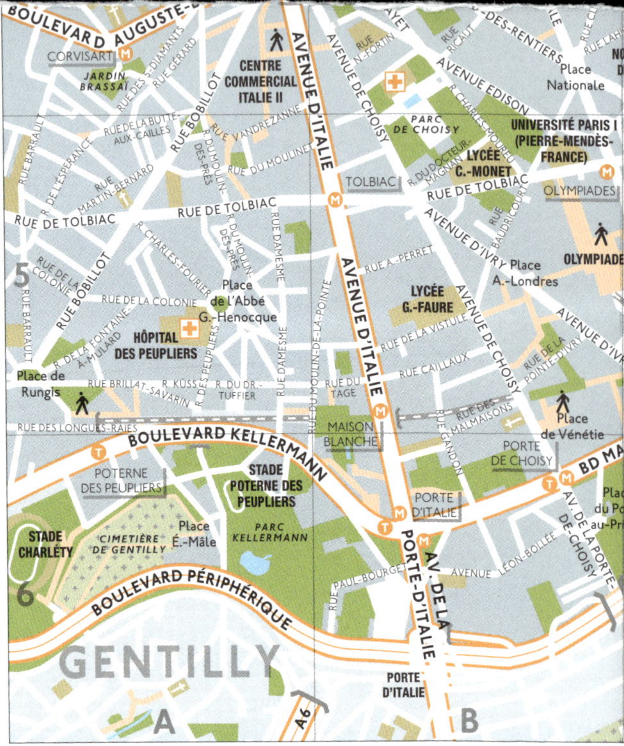

★ **Institut du Monde Arabe** (**H** B2)
→ *1, rue des Fossés-St--Bernard (5e) Tel 01 40 51 38 38 Ter-dom 10h-18h (21h30 sex, 19h sáb-dom)*
Esse incrível edifício, projetado por Jean Nouvel e pelo Architecture Studio (1987), combina materiais contemporâneos com o estilo árabe-andaluz. A cultura dos países árabes é representada em todas as suas formas: museu de civilização e arte, biblioteca, livraria, projeções, concertos e debates. Café.

★ **Arènes de Lutèce** (**H** A2)
→ *49, rue Monge (5e) Seg-sex 8h-anoitecer, sáb-dom 9h-anoitecer*
Descobertas em 1869 na construção da rue Monge, essas ruínas de arena galo--romana (séc. I) foram incorporadas a um jardim que hoje é uma praça de esportes onde se joga futebol e pétanque.

★ **Jardin des Plantes** (**H** B2)
→ *Pl Valhubert; 57, rue Cuvier; 2, rue Buffon; 36, rue Geoffroy--St-Hilaire (5e) Diariam amanhecer-anoitecer*
Primeiro parque público, inaugurado em 1640, o Jardin des Plantes abriga desde 1793 o Muséum National d'Histoire Naturelle. Em frente à Grande Galerie (1889), os canteiros de flores se estendem por 500m e em duas grandes estufas de ferro e vidro (a mexicana e a australiana), construídas em 1834 por Charles Rohaut de Fleury. Também há um labirinto delicioso e um parque zoológico, do início do séc. XX.

★ **Muséum National d'Histoire Naturelle** (**H** B2)
→ *36, rue Geoffroy-St-Hilaire (5e) Tel 01 40 79 30 00* ***Grande Galeria*** *Qua-seg 10h-18h* ***Galeria de Anatomia*** *Seg, qua-sex 10h-17h (18h sáb-dom abr-out)*
Na grande Galeria, a recriação de uma caravana de animais impressiona pelo realismo. Ao leste, a galeria de Anatomia Comparada e Paleontologia se mantém como no fim do séc. XIX: pisos de madeira encerados e vitrines para conhecer os vertebrados, com fósseis, dinossauros etc. Veja também as galerias Infantil e de Mineralogia e Geologia.

★ **Grande Mosquée de Paris** (**H** A2)
→ *1, pl du Puits-de-l'Ermite (5e) Tel 01 45 35 97 33 Sáb-qui 9h-12h, 14h-18h*
Primeiro templo muçulmano de Paris, construído entre 1922 e 1926, tem forte influência mediterrânea: mosaicos,favos de estuque, entalhes em cedro... A rica decoração, obra de artesãos

INSTITUT DU MONDE ARABE

ARÈNES DE LUTÈCE

JARDIN DES PLANTES

É preciso passar pelo Jardin des Plantes e pela Grande Mosquée para descobrir as ruelas animadas do bairro Mouffetard. De lá, a larga avenue des Gobelins leva à place d'Italie, cruzamento do 13e arrondissement. A dois passos, ficam a antiga aldeia de Butte-aux-Cailles e suas cidades-jardins, e, mais longe, em direção à porte de Choisy, a Chinatown (1970) e sua profusão de restaurantes asiáticos. A leste, o Sena segue seu curso, com barcaças típicas ancoradas nas margens, e os terrenos industriais de Bercy e Austerlitz viram surgir a Cité de la Mode et du Design, a BnF (Biblioteca Nacional da França) e o polo universitário de Grands-Moulins.

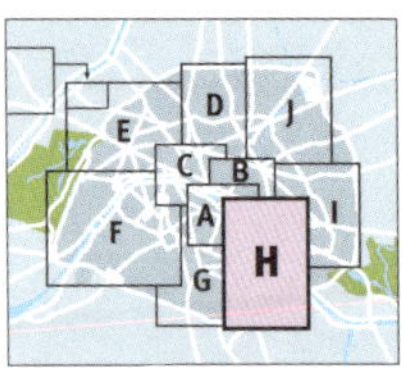

LAO LANE XANG

L'AVANT-GOÛT

RESTAURANTES

Chez Gladines (**H** A4)
→ 30, rue des Cinq-Diamants (13^{e}) Tel 01 45 80 70 10
Dom-ter 12h-15h (16h dom), 19h-24h; qua-sáb 12h-15h (16h sáb), 19h-1h
Essa disputada cantina basca tem o espírito sociável da Butte. Saladas imensas e pratos do sudoeste da França. Prato €6,50-14,50.

Lao Lane Xang (**H** B5)
→ 105, av d'Ivry (13^{e})
Tel 01 45 85 19 23 Ter-dom 12h-15h, 19h-23h (22h dom)
Apaixone-se por esse pequeno restaurante típico do Laos, onde o perfume dos pratos evoca o vale do rio Mekong. Oferece um anexo em frente, mais chique e mais caro. Menu €12,50-14,50 (almoço); prato €8-24.

Li Ka Fo (**H** B5)
→ 39, av de Choisy (13^{e})
Tel 01 45 84 20 45
Diariam 12h-24h
No local onde ficam as torres do 13^{e} arrondissement asiático, um restaurante cantonês em que você come (quase) como se estivesse em Cantão. Cozinha boa e farta, frequentada pelas famílias do bairro. Especializado em caçarolas (cordeiro, tofu, língua...). Prato €8,50-13.

Le Temps des Cerises (**H** A5)
→ 18-20, rue de la Butte-aux-Cailles (13e)
Tel 01 45 89 69 48
Seg-sáb 12h-14h30, 19h-23h
Desde 1976, essa cooperativa de trabalhadores, ainda um pouco anarquista, recebe seus clientes informalmente: bochechas de porco refogadas, boudin (chouriço) preto à normanda... Menu €13-16 (almoço), €20-24; prato €12-20.

Les Délices d'Aphrodite (**H** A2)
→ 4, rue de Candolle (5e)
Tel 01 43 31 40 39
Diariam 12h-14h15, 19h-23h
Mestres parisienses da cozinha grega, os irmãos Mavrommátis servem deliciosa moussaka e travessas de mezzes leves e elegantes. Menu €17,50-20 (almoço); prato €17-26.

L'Avant-Goût (**H** A4)
→ 26, rue Bobillot (13e)
Tel 01 53 80 24 00
Ter-sáb 12h-14h, 19h30-22h
Com receitas inspiradas, o simpático Christophe Beaufront evoca suas viagens pelo Mediterrâneo e pelo Japão. O carro-chefe é o pot-au-feu de porco com especiarias. Menu €15 (almoço), €35; prato €19,50.

SALON DE THÉ DE LA GRANDE MOSQUÉE

WANDERLUST

LES ABEILLES

L'Ourcine (**H** A3)
→ *92, rue Broca (13e)*
Tel 01 47 07 13 65 Ter-sáb 12h-14h30, 19h-22h30
Neobistrô magnificamente dirigido. Inspiração nos produtos sazonais e vinhos de pequenos produtores. Menu €26 (almoço), €36.

CASAS DE CHÁ, BARES, CASAS NOTURNAS

Salon de Thé de la Grande Mosquée (**H** A2)
→ *39, rue Geoffroy-St--Hilaire (5e) Tel 01 43 31 38 20 Diariam 9h-24h*
Mesas sob oliveiras para tomar chá de hortelã. No interior, sofás e decoração mourisca para degustar tahine e doces com mel. Banho turco.

L'Âge d'Or (**H** B5)
→ *26, rue du Dr-Magnan (13e) Tel 01 45 85 10 58 Seg-sex 9h-2h (24h seg-ter), sáb 17h-2h, dom 10h-20h*
Muito singular na área, um bar-restaurante cultural onde dá para aproveitar... de tudo! Ateliê para adultos e crianças, concertos inéditos, brunch dominical etc.

La Folie en Tête (**H** A5)
→ *33, rue de la Butte-aux--Cailles (13e) Tel 01 45 80 65 99 Seg-sáb 17h-2h*
No coração da antiga vila da Butte-aux-Cailles, um café decorado com instrumentos de madeira de vários países.

Merle Moqueur (**H** A5)
→ *11, rue de la Butte-aux--Cailles (13e) Diariam 17h-2h*
Pequeno bar animado e sempre lotado, onde se começa tomando rum, antes de cantar a plenos pulmões e dançar ao som de sucessos das décadas de 1970 a 1990.

Batofar (**H** D4)
→ *Face au 11, quai F.-Mauriac (13e) Tel 01 53 14 76 59 www.batofar.org*
Um dos barcos da frota moderninha que está ancorada aos pés da BnF. Casco e interior de aço, e música eletrônica sempre afiada.

Dame de Canton (**H** D4)
→ *Em frente ao nº 11, quai F.-Mauriac (13e) Tel 01 53 61 08 49 Ter-sáb 19h-1h (5h sex-sáb) www.damedecanton.com*
O barco de madeira do antigo Cabaret Pirate recebe shows animados de chanson, rock, ska, funk, reggae e fanfarras. Sextas e sábados, DJ para dançar até o amanhecer. Dependendo do programa, dê um pulo também nos barcos vizinhos, principalmente Le Petit Bain; no verão, aproveite os terraços que invadem o cais.

Wanderlust (**H** C3)
→ *32, quai d'Austerlitz (13e) **Casa noturna** Verão: seg-sex 18h-6h, sáb-dom 11h-24h (2h dom); inverno: sáb 22h-6h wanderlustparis.com*
Nem bem tinha sido inaugurada, a Cité de la Mode et du Design se transformou em um dos epicentros da moda parisiense. No Wanderlust, clube excelente com som explosivo (hip-hop, eletrônica, new disco etc.), reverberado por neons, há decoração única, restaurante e – no verão – um imenso terraço de 1.600m².

Nüba (**H** C3)
→ *36, quai d'Austerlitz (13e) Tel 01 76 77 34 85 **Restaurante** Qui-sáb 12h-15h, 19h-23h **Casa noturna** Qui-sáb 21h-5h www.nuba-paris.fr*
O Nüba investiu no espaço mais concorrido da Cité de la Mode: a cobertura! Clube interno ou terraço, para um brunch sob os guarda-sóis ou um coquetel sob as estrelas.

Concrete (**H** C3)
→ *69, port de la Rapée (12e) A cada 2 semanas: dom 7h-2h www.concreteparis.fr*
Lotado de amantes da música eletrônica pós-balada, esse barco acolhe parisienses incansáveis durante 19h de música tecno ininterrupta.

COMPRAS

Paris Jazz Corner (**H** B1)
→ *5, rue de Navarre (5e) Tel 01 43 36 78 92 Ter-sáb 12h-20h*
Referência desde 1991: mais de 40 mil CDs e vinis de todos as vertentes e épocas do jazz, além de blues e gospel.

Les Abeilles (**H** A5)
→ *21, rue de la Butte-aux--Cailles (13e) Tel 01 45 81 43 48 Ter-sáb 11h-19h*
A pequena loja de um apicultor parisiense cujas colmeias ficam no 13e arrondissement e no bosque de Vincennes. Vende também mel do mundo todo.

Tang Frères (**H** B5)
→ *44, av d'Ivry (13e) Tel 01 45 70 80 00 Ter-sex 9h-20h, sáb-dom 8h-20h (13h dom)*
O maior e mais famoso supermercado asiático da capital, para cozinhar como na Ásia. Outra filial no nº 48.

Magasin M1 (**H** C3)
→ *34, quai d'Austerlitz (13e) Tel 01 76 77 34 82 Ter-sáb 11h-19h*
Porta-retratos, carteiras de papel oleado, navalhas, vasos, móveis... Na Cité de la Mode et du Design, o objeto mais banal da vida cotidiana é revisto por um designer e vira preciosidade.

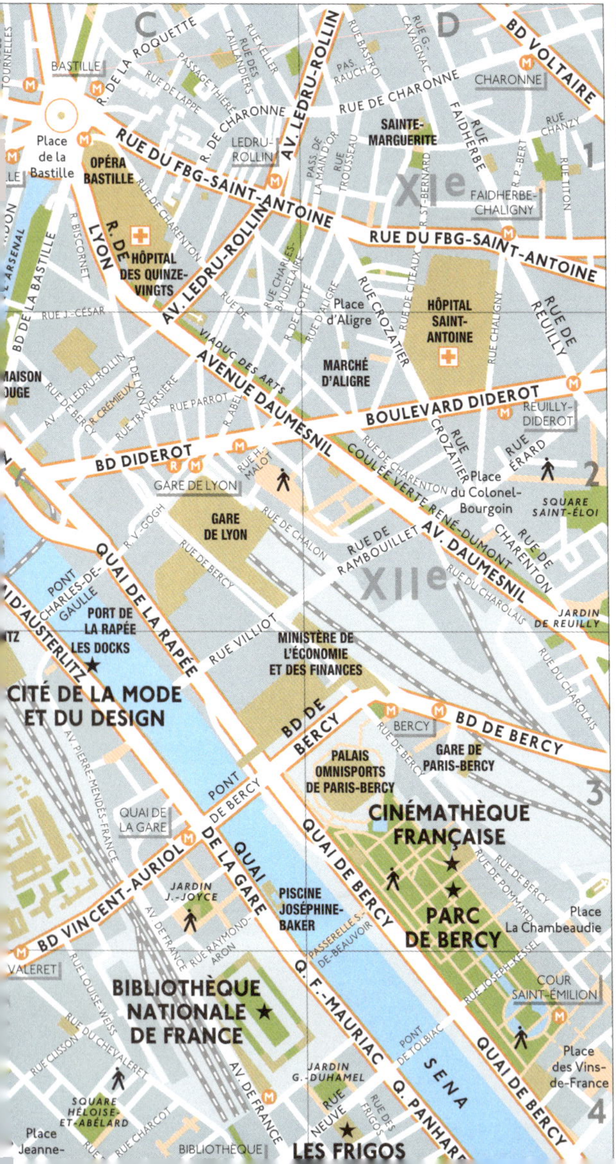

MANUFACTURE DES GOBELINS

CITÉ DE LA MODE ET DU DESIGN

BIBLIOTHÈQUE NATIONALE DE FRANCE

PARC DE BERCY

CINÉMATHÈQUE FRANÇAISE

locais, está espalhada por jardins dignos de um palácio das *Mil e uma noites*.

★ **Manufacture des Gobelins** (**H** A4)
→ *42, av des Gobelins (13ᵉ)*
Tel 01 44 08 53 49
Galeria *Ter-dom 11h-18h*
Visita aos ateliês *Ter-qui 13h15, 14h45, 15h*
Essa oficina de tapeçaria real, fundada em 1601 por Henrique IV, continua em atividade. Pode-se visitar os ateliês e a galeria. Em 1.000m², exposições de tapeçarias, mobiliário antigo e contemporâneo.

★ **Cité de la Mode et du Design** (**H** C3)
→ *28-36, quai d'Austerlitz (13ᵉ)*
Os antigos Magasins Généraux (1907) foram transformados em um "centro de valorização da criação de moda e design". Fachada de vidro e metal assinada por Jakob e MacFarlane em um dos raros edifícios de Paris cuja base fica dentro da água. Exposições, galerias-butiques, lanchonete vegetariana, bares, casas noturnas e restaurantes, inclusive um na cobertura.

★ **Bibliothèque Nationale de France** (**H** C4)
→ *Quai François-Mauriac (13ᵉ)*
Tel 01 53 79 40 43
Ter-sáb 10h-20h, dom 13h-19h
As quatro torres-livro da "Très Grande Bibliothèque" são de Dominique Perrault. Quase 11 milhões de obras ocupam mais de 420km de estantes. As salas de leitura ficam em torno de um lindo jardim interno. Também abriga exposições.

★ **Les Frigos** (**H** D4)
→ *19, rue des Frigos (13ᵉ)*
www.les-frigos.com
Antigos entrepostos frigoríficos com milhares de metros quadrados se transformaram no celeiro de 200 artistas. Dias de portas abertas em maio e dois restaurantes, um externo e o outro protegido por corredores grafitados.

★ **Parc de Bercy** (**H** D3)
→ *Seg-sex 8h-anoitecer, sáb-dom 9h-anoitecer*
Em 1994, os depósitos de vinho de Bercy cederam lugar a um parque de 135 mil m², que inclui gramados, jardins botânicos, pomar, horta e jardim em estilo romântico.

★ **Cinémathèque Française** (**H** D3)
→ *51, rue de Bercy (12ᵉ)*
Tel 01 71 19 33 33
Exposições *Seg, qua-sáb 12h-19h (22h qui); dom 10h-20h*
www.cinematheque.fr
O paraíso dos cinéfilos fica em um edifício surpreendente de Frank Gehry (1994), sóbrio do lado externo e desestruturado no jardim. Museu, projeções, debates e retrospectivas.

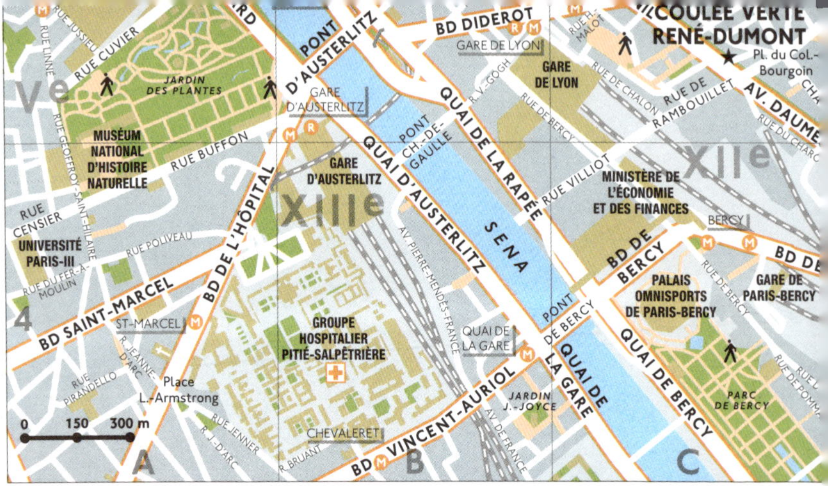

MARCHÉ D'ALIGRE

COULÉE VERTE RENÉ-DUMONT

★ **Place de la Bastille** (**I** B2)
A tomada da fortaleza (séc. XIV) transformou essa praça, projetada no séc. XIX, em símbolo da Revolução Francesa. No centro, a Colonne de Juillet (50m), encabeçada pelo Génie de la Liberté, homenageia as vítimas dos Trois Glorieuses (27, 28 e 29 de julho de 1830).

★ **Opéra Bastille** (**I** B3)
→ *120, rue de Lyon (12e)*
Visitas *01 40 01 19 70*
Espetáculos *Tel 08 92 89 90 90 www.operadeparis.fr*
Obra do arquiteto Carlos Ott, a Ópera da Bastilha foi inaugurada na data simbólica de 13 de julho de 1989: com esse novo cenário, François Mitterrand desejava popularizar a ópera. A fachada de vitrais com saliências ganha iluminação noturna.

★ **La Maison Rouge** (**I** B3)
→ *10, blvd de la Bastille (12e)*
Tel 01 40 01 08 81
Qua-dom 11h-19h (21h qui)
Exposições de arte contemporânea nos 1.300m² dessa antiga fábrica construída em torno de uma moradia (a "casa vermelha"). O lugar também abriga a casa de chá Rose Bakery.

★ **Port de l'Arsenal** (**I** B3)
Desde 1983 é um porto atraente por onde passam cerca de 1.300 embarcações por ano. Na margem leste, um jardim em diferentes níveis se estende da Bastille até a ponte Morland. O Port de l'Arsenal original, construído em 1806, entre o Sena e o canal Saint-Martin, permitia o transporte de madeira para os artesãos do Faubourg Saint-Antoine.

★ **Faubourg Saint-Antoine** (**I** C3)
→ *Rue du Faubourg-Saint-Antoine (11e/12e)*
Pátios muitas vezes fecham à noite e sáb-dom
Desde 1471, esse faubourg concentra, ao redor da abadia, um expressivo grupo de carpinteiros, marceneiros, douradores e envernizadores. Veja, no nº 56, a linda cour (pátio) du Bel-Air, com calçamento de pedras. No nº 66, a passage du Chantier está sempre mergulhada em intensa atividade artesanal, enquanto a cour des Bourguignons, no nº 74, revela, com sua arquitetura de ferro e vidro, a industrialização do faubourg no séc. XIX. No nº 75, a graciosa cour de l'Étoile-d'Or é o resultado de séculos de urbanismo. A cour do nº 71 presta homenagem aos Shadoks, personagens de um conhecido desenho animado francês do fim dos anos 1960.

★ **Marché d'Aligre** (**I** C3)

PLACE DE LA BASTILLE

OPÉRA BASTILLE

PORT DE L'ARSENAL

I Bastille / Oberkampf / Nation

É ao redor da place de la Bastille que está a vida noturna parisiense. Cafés e restaurantes invadem a rue du Faubourg-Saint-Antoine, a rue de la Roquette, a rue de Lappe e a rue de Charonne. Caminhe para oeste, ao longo da rue du Faubourg-Saint-Antoine, e observe o labirinto de pátios e passagens. Os moveleiros que já deram fama à região hoje dividem o bairro com arquitetos, estilistas e artistas gráficos. Ao norte, surge a badalada rue Oberkampft, velha conhecida, com suas ruas adjacentes repletas de bares mais escondidos, alternativos ou da moda. A leste, fica o cemitério de Père-Lachaise, onde se pode respirar um pouco de ar fresco.

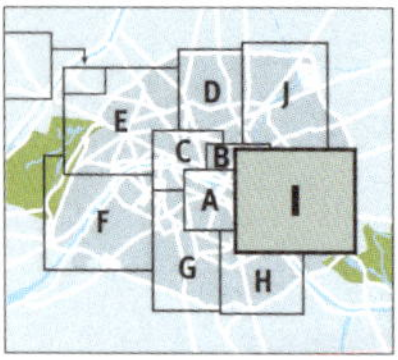

CHEZALINE

SEPTIME

RESTAURANTES

CheZaline (**I** B2)
→ *85, rue de la Roquette (11e) Tel 01 43 71 90 75 Seg-sex 11h-17h*
Nesse local já funcionou um açougue especializado em carne de cavalo. Hoje, há lanches revisitados por Delphine Zampetti: sanduíches ao pot-au-feu, saladas originais, sopa do dia... Principalmente para levar. Lanches €4,50-9.

Little Paris-Hanoi (**I** D2)
→ *9, rue de Mont-Louis (11e) Tel 01 46 59 01 40 Diariam 12h-14h30, 19h-22h30*
A minicantina vietnamita da rue de Charonne tem uma filial mais arejada perto do Père-Lachaise: pratos frescos e bò bún sempre saboroso. Prato €10.

Soya (**I** B1)
→ *20, rue de la Pierre-Levée (11e) Tel 01 48 06 33 02 Ter-sex 12h-15h30, 19h-23h; sáb-dom 11h30-23h (16h dom)*
Para uma refeição 100% vegetariana e vitaminada, em um radioso loft (uma antiga fábrica de torneiras), onde se corta e se mistura sem sossego: lasanhas, mezzes, tahines... e brunch nos fins de semana. Prato €15-16.

Jacques Mélac (**I** C2)
→ *42, rue Léon-Frot (11e) Tel 01 43 70 59 27 Ter-sáb 12h-23h*
No restaurante do Sr. Mélac, a videira cresce na fachada. É proibido beber água! O cliente bebe vinho saboreando salsichão de Aveyron, queijos de Cantal e pratos caseiros. Menu €15 (almoço); prato €15-18.

Mansouria (**I** C3)
→ *11, rue Faidherbe (11e) Tel 01 43 71 00 16 Seg 19h30-22h45; ter-sáb 12h-15h, 19h30-22h45 (23h sex-sáb)*
Dirigido por Fatéma Hal, um restaurante marroquino autêntico para reaprender o significado dos termos kascsou (cuscuz) e touagin (tahine). Também se pode levar. Menu €28, €36; prato €17-26

Septime (**I** C2)
→ *80, rue de Charonne (11e) Tel 01 43 67 38 29 Seg 19h30-22h, ter-sex 12h15-14h, 19h30-22h*
Um espaço maravilhosamente simples, como as criações espontâneas de Bertrand Grébaut, inspiradas pelo momento. Lulas e sardinhas ao molho de azeitona negra, musse de ricota e quenelle de pera... Menu €30 (almoço), €65.

Chateaubriand (**I** B1)
→ *129, av Parmentier (11e) Tel 01 43 57 45 95 Ter-sáb 19h30, 23h A partir das 21h30 somente com reserva*
Agitação e decoração fina

L'INTERNATIONAL

BAGUE DE KENZA

L'AUTO-ÉCOLE

de bistrô no concorrido restaurante de Inaki Aizpitarte, adepto da culinária desestruturada e dos sabores improváveis. Reserve. No nº 131 funciona o Le Dauphin, o bar de tapas de Inaki. Menu €65, €130.

CAFÉS, BARES, CASAS NOTURNAS

Le Baron Rouge (I B3)
→ *1, rue Théophile-Roussel (12ᵉ) Tel 01 43 43 14 32 Seg 17h-22h; ter-sex 10h-14h, 17h-22h; sáb-dom 10h-22h (16h dom)*
Divertido bar de vinhos onde os moradores do bairro se encontram após a ida ao mercado. Vinhos de barril, ostras (sáb-dom out-mar) e tábuas de frios e queijos.

Pure Café (I C3)
→ *14, rue Jean-Macé (11ᵉ) Tel 01 43 71 47 22 Seg-sáb 7h (8h sáb)-2h, dom 9h-24h*
Isolado da agitação, um encantador café parisiense como nos anos 1920: bar em ferradura, salão luminoso e acolhedor.

Mama Shelter (I E2)
→ *109, rue de Bagnolet (20ᵉ) Tel 01 43 48 45 45 Diariam 7h-1h30*
Um hotel de vanguarda da cena parisiense, atracado no popular 20ᵉ arrondissement. Decoração do tipo loft nova-iorquino, com assinatura do designer Philippe Starck. Tem um restaurante e dois bares, com destaque para o o balcão comprido, os brunches à vontade nos domingos e as pizzas, além de uma mesa de pebolim. Terraços com bela vista dos arredores.

Le Perchoir (I C1)
→ *14, rue Crespin-du-Gast (11ᵉ) Tel 01 48 06 18 48 Inverno: diariam 17h30-1h; verão: diariam 14h-1h*
Surpresa no sétimo andar desse edifício comum: beba seu coquetel admirando Paris do alto, como nos telhados nova-iorquinos.

Le Balajo (I B2)
→ *9, rue de Lappe (11ᵉ) Tel 01 47 00 07 87 Seg 14h-19h, ter-qui 19h30-2h (4h30 qui), sex-sáb 23h-madrugada www.balajo.fr*
De 1936, o "Bal à Jo" renova as tardes de segunda-feira com um chá dançante! Noites de salsa (ter, qui), rock'n'roll (qua). *Clubbing* nos fins de semana.

La Mécanique Ondulatoire (I B2)
→ *8, passage Thiéré (11ᵉ) Tel 01 43 55 69 14 Seg-sáb 18h-2h*
Escondido na rua, um bar despreocupado, cheio de gente desde quinta-feira à noite, quando seu porão-clube treme ao ritmo de rock ou punk. Vá também ao Truc Mush (nº 5), com mix eclético e decoração vermelho-sangue.

L'International (I C1)
→ *5-7, rue Moret (11ᵉ) Diariam 18h-2h www.linternational.fr*
Nada do *dress-code* de jovens intelectuais e inconformados nesse bar enorme e aberto a todos. Bebidas a preços convidativos e shows a toda hora no subsolo, onde desfilam grupos de rock, hip-hop, música eletrônica...

COMPRAS

Isabel Marant (I B3)
→ *16, rue de Charonne (11ᵉ) Tel 01 49 29 71 55 Seg-sáb 10h30 (11h seg)-19h30*
Muitas celebridades se vestem nessa designer, que mistura elegância e influências étnicas. Tem outros endereços em Paris.

Gaëlle Barré (I C2)
→ *17, rue Keller (11ᵉ) Tel 01 43 14 63 02 Ter-sáb 11h-19h30*
Nessa butique-ateliê, Gaëlle cria uma moda retrô, poética e feminina, que usa lindos materiais e deslumbrantes estampas.

Merci (I B2)
→ *111, blvd Beaumarchais (3ᵉ) Tel 01 42 77 00 33 Seg-sáb 10h-19h*
Loja-conceito ético-elegante, imensa e iluminada, em um pátio. Roupas, móveis, edições limitadas, restaurante natural... Todo o lucro é revertido a instituições de caridade. Experimente o bolo em um dos cafés.

Lulu Berlu (I A1)
→ *2, rue du Grand-Prieuré (11ᵉ) Tel 01 43 55 12 52 Seg-sáb 11h-19h30*
Um baú de tesouros para adultos nostálgicos: bonecos de *Star Wars*, um montão de robôs japoneses e outros brinquedos, dos anos 1950 até hoje.

Bague de Kenza (I C1)
→ *106, rue Saint-Maur (11ᵉ) Tel 01 43 14 93 15 Diariam 9h (14h sex)-21h*
Os melhores doces argelinos de Paris. Tem pirâmides de doces como baklavas e chifres de gazela. Salão de chá e uma filial na rue du Faubourg-Saint-Antoine, 173 (I C3).

L'Auto-École (I B1)
→ *101, rue Oberkampf (11ᵉ) Tel 01 43 55 31 94 Seg 16h-20h30, ter-sáb 12h-14h, 14h30-20h30*
Nessa autoescola convertida, um bricabraque de cores vibrantes: brinquedos, bolsas, papelaria fina, vestidos coloridos...

LA MAISON ROUGE

FAUBOURG SAINT-ANTOINE

▶ Mapa J

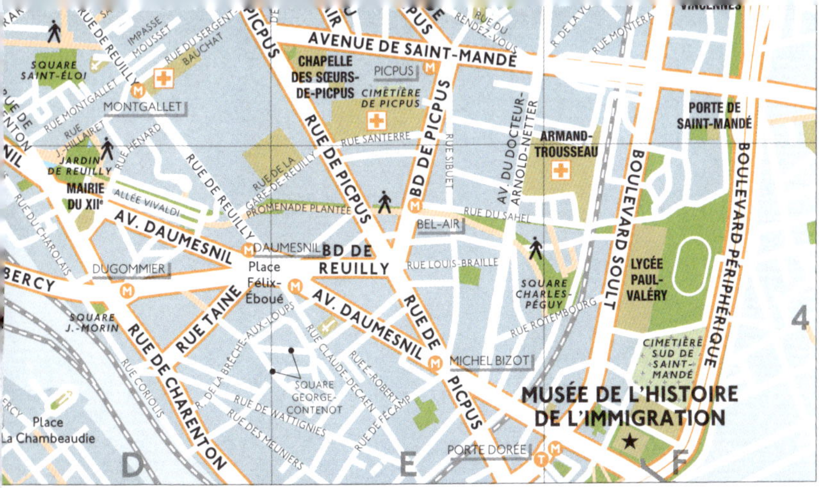

MUSÉE DE L'HISTOIRE DE L'IMMIGRATION

CIMETIÈRE DU PÈRE-LACHAISE

CIRQUE D'HIVER

→ *Rue e place d'Aligre (12e)*
Ter-dom 7h30-13h30 (14h30 sáb-dom)
Desde bem cedo, a pequena place d'Aligre é muito concorrida, e é necessário abrir caminho para chegar às bancas de frutas e verduras da rue d'Aligre. Na praça há floristas e brechós. No belo mercado Halle Beauvau, de 1779, carne e laticínios são anunciados em voz alta.

★ **Coulée Verte René-Dumont** (I B3-F4)
→ *Seg-sex 8h-anoitecer, sáb-dom 9h-anoitecer*
Antigamente chamado de "Promenade Plantée", o corredor verde se estende por 4,5km da Av. Daumesnil até o subúrbio, ocupando o lugar de uma ferrovia fechada em 1969. Dos viadutos e passarelas pode-se apreciar jardins cuidadosamente formados e outros silvestres. Há uma passagem suspensa no nível das janelas. Do Jardin de Reuilly, uma ciclovia leva ao Bois de Vincennes.

★ **Musée de l'Histoire de l'Immigration** (I F4)
→ *293, av Daumesnil (12e)*
Tel 01 53 59 58 60
Ter-dom 10h-17h30 (19h sáb-dom)
No cenário monumental do palácio da porta Dorée (suvenir da Exposição Colonial de 1931), esse museu conta a história da imigração na França desde o séc. XIX. Fotos, objetos e filmes permitem uma abordagem interativa. Aquário no subsolo.

★ **Cimetière du Père-Lachaise** (I D2)
→ *Entrada principal pelo blvd de Ménilmontant (20e)*
Tel 01 55 25 82 10 Meados mar-out: diariam 8h (8h30 sáb, 9h dom)-18h; nov-meados mar: diariam 8h (8h30 sáb, 9h dom)-17h30
Alamedas sombreadas, caminhos tortuosos. Esse célebre cemitério parisiense (1804) é uma cidade em miniatura. Pirâmides e templos gregos se erguem ao lado de túmulos mais modestos. Nesse jardim fascinante repousam Molière, Balzac, Chopin, Proust, Éluard, Édith Piaf, Jim Morrison etc.

★ **Cirque d'Hiver** (I B1)
→ *110, rue Amelot (11e)*
Tel 01 47 00 28 81
www.cirquedhiver.com
Esse circo de extrema beleza, projetado por Hittorff e inaugurado por Napoleão III em 1852, tem um passado digno de nota. Adquirido pelos irmãos Bouglione em 1934, retomou sua vocação principal. Além da cor ocre original, conservou duas estátuas: *L'Amazone* (Pradier) e *Le Guerrier* (Bosio e Duret).

CITÉ DE LA MUSIQUE

LE 104

★ **Canal Saint-Martin** (J A4)
Idealizado por Napoleão e escavado entre 1822 e 1825 a fim de trazer água potável para a cidade, esse canal é hoje um passeio romântico de 4,5km que, no domingo, fica reservado para os pedestres. Margens arborizadas, nove eclusas, passarelas metálicas charmosas e pequenas praças lembram uma Paris que não existe mais.

★ **Parc de la Villette** (J C2)
Um parque paisagístico magnífico, construído em 1991 no lugar dos antigos matadouros de La Villette e concebido como uma "cidade-jardim". A cada verão, sobre a grama, concertos e festival de cinema ao ar livre gratuito atraem os parisienses que sentem falta da natureza. A trilha Bleu (azul) do passeio cinematográfico serpenteia ao longo de 3km, atravessando dez jardins temáticos. Na direção nordeste, uma ciclovia margeia os 25km do canal de L'Ourcq. Desde 2015, ao lado da Cité de la Musique, se destaca o prédio da Philharmonie de Paris, assinado por Jean Nouvel e com um auditório para 2.400 pessoas.

★ **Cité des Sciences et de l'Industrie** (J C2)
→ 30, av Corentin-Cariou (19e) Tel 01 40 05 70 00 Ter-dom 10h-18h (19h dom)
Desde 1986, esse gigantesco museu interativo revela os segredos da ciência a crianças e adultos. As exposições "Explora" têm mostras sobre o espaço, o som etc., e a Cité des Enfants (reservar) permite aprender sobre ciência e tecnologia. Ateliês, planetário e, na Géode, cinema com tela hemisférica de 1.000m²!

★ **Cité de la Musique** (J D2)
→ 221, av Jean-Jaurès (19e) Tel 01 44 84 44 84 Ter-dom 12h (10h dom)-18h
Ao sul do Parc de La Villette, um templo da música em todas as suas formas, do Barroco ao fim do séc. XIX: com fones, o visitante ouve os instrumentos musicais conforme passa por eles. Há também uma sala de concertos com um repertório quase universal.

★ **Le 104** (J B2)
→ 104, rue d'Aubervilliers; 5, rue Curial (19e) Tel 01 53 35 50 00 www.104.fr
O imponente edifício (1873) das antigas pompas fúnebres virou um espaço de 26 mil m² voltado à criação artística. A meta é mostrar os processos de produção, por meio de festivais, visitas a ateliês, exposições, concertos etc. Tem um café-loja orgânico chamado Emmaüs.

◀ Mapa B

CANAL SAINT-MARTIN

PARC DE LA VILLETTE

CITÉ DES SCIENCES ET DE L'INDUSTRIE

J Canal Saint-Martin / Belleville / Ménilmontant

Ao longo dos canais, a Paris de ontem e a de hoje se encontram lado a lado. À beira do canal Saint-Martin, onde subsiste um perfume de outrora, florescem lojas e cafés da moda. Ao norte, o canal de l'Ourcq se estende até La Villette, um parque do séc. XXI que parece surgir do nada. Mais ao sul, o Parc des Buttes--Chaumont, criado em 1864 no lugar de um depósito de lixo e de uma pedreira, hoje é um dos mais agradáveis espaços verdes da cidade. Não muito longe dali, Belleville e Ménilmontant, bairros da classe trabalhadora com forte influência de imigrantes da Ásia e do Oriente, tentam resistir ao tempo.

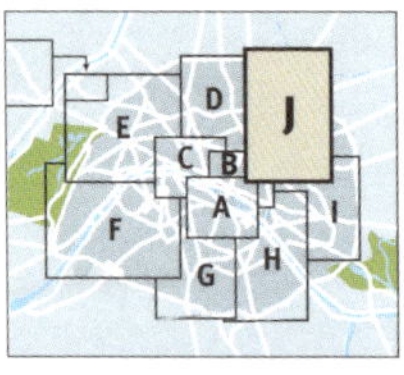

LE VIEUX BELLEVILLE

LE VERRE VOLÉ

RESTAURANTES

Lao Siam (J C5)
→ *49, rue de Belleville (19e)*
Tel 01 40 40 09 68
Diariam 12h-14h30, 19h-23h
Na opinião de muitos, uma das melhores cozinhas tailandesas de Paris. Fresca e delicada, é perfumada por especiarias: manjericão, gengibre... Prato €8-11.

Ohinéné (J D5)
→ *14, rue de la Chine (20e)*
Tel 01 71 20 67 62 Seg 8h-15h, ter-sáb 8h-15h, 19h30-23h
Sempre com um sorriso: esse é o lema da chef, natural da Costa do Marfim, ao preparar chips de banana, guisados de carne e criativas sobremesas que encantam o bairro. Prato €10,50 (almoço), €14-25.

Le Vieux Belleville (J C5)
→ *12, rue des Envierges (20e)*
Tel 01 44 62 92 66 Seg, qua 11h-15h; ter, qui-sex 11h-15h, 19h-2h (24h ter); sáb 19h-2h
Um lugar como não se faz mais, com cartazes da Cidade Luz. À noite, todos entoam as melodias cantadas por Piaf ou Arletty, enquanto saboreiam um filé au poivre ou um salmão assado. Prato €14-19.

Le Verre Volé (J A5)
→ *67, rue de Lancry (10e)*
Tel 01 48 03 17 34 Diariam 12h30-14h, 19h30-22h30
Por que as poucas mesas desse caviste-bar são disputadíssimas? Por causa dos vinhos, escolhidos com cuidado, e das refeições divinas. O anexo, no nº 53, dedica-se aos pescados. Prato €16-29.

Quedubon (J C4)
→ *22, rue du Plateau (19e)*
Tel 01 42 38 18 65
Ter-sex 12h-14h, 19h30-22h30; sáb 19h30-22h30
Digno do nome, esse restaurante-adega jovial concentra-se em vinhos orgânicos e pratos frescos caseiros. Serve iguarias como ris de veau (timo de vitela) e pregado (peixe do Atlântico semelhante ao linguado). Menu €15-17,50 (almoço); prato €17-30.

Mon Oncle le Vigneron (J C4)
→ *71, rue Rébeval (19e) Tel 01 42 00 43 30 Ter-sáb 11h-14h30, 18h-21h30 (e algumas seg)*
Mercearia e restaurante de um casal franco-japonês. Garrafas de pequenos vinhateiros, produtos de terroir e pratos do dia. Reserve à noite. Saladas e cassoulet no almoço. Prato €12 (almoço); menu €35 (jantar).

CAFÉS, BARES, SHOWS

Café A (J A4)
→ *148, rue du Fbg-Saint-*

LA BELLEVILLOISE

POP MARKET

PÂTISSERIE DE L'ÉGLISE DEMONCY

-Martin (10e) Tel 09 81 29 83 38 Seg-sáb 9h-24h (17h seg), dom 12h-17h
Entre os muros do antigo convento dos Récollets (séc. XVII), esse café artístico promove vários eventos: jazz, corais, espetáculos noturnos na capela... Terraço e pátio interno sombreados.

La Sardine (J B5)
→ 32, rue Sainte-Marthe (10e) Tel 01 42 49 19 46 Nov-fev: ter-sex 9h-2h, sáb-dom 10h-2h (16h dom); mar-out: diariam 9h (10h sáb-dom)-2h
Praça com ambiente de cidade do interior e um terraço ideal para descansar, apreciando um chope e um prato pequeno ou de tapas.

Chez Prune (J A5)
→ 36, rue Beaurepaire (10e) Tel 01 42 41 30 47 Diariam 8h (10h dom)-2h
Ponto de encontro do bairro. Decoração despojada e mesas na calçada, pratos do dia no almoço e pratos frios à noite. Também de clima boêmio e do outro lado do canal, o Jemmapes é ótimo para tomar cerveja em caneca de plástico em dias de sol ou um aperitivo à beira d'água.

Lou Pascalou (J C6)
→ 14, rue des Panoyaux (20e) Tel 01 46 36 78 10 Diariam 11h (12h sáb-dom)-2h
Lugar da moda, simples e agradável, à imagem dos frequentadores, que ficam horas no terraço isolado do barulho do bulevar de Belleville. Shows domingo, curtas na primeira quarta do mês e improvisos teatrais na segunda quarta.

Rosa Bonheur (J C4)
→ Buttes-Chaumont (entrada pelo parque, na rue Botzaris) (19e) Tel 01 42 00 00 45 Qua-dom 12h (10h sáb-dom)-24h (qui-dom inverno)
Raro em Paris, um café-taberna em um parque. Tapas, sangria e um grande terraço de onde se vê cair a tarde. Depois, um DJ anima a casa.

Bar Ourcq (J B3)
→ 68, quai de la Loire (19e) Tel 01 42 40 12 26 Fim mar-fim set: ter-dom 15h-24h (2h sex-sáb, 22h dom); fim set-fim mar: qui-dom 15h-24h (2h sex-sáb, 22h dom) www.barourcq.fr
Com os primeiros raios de sol, o dono coloca as bolas de bocha e as espreguiçadeiras à beira do canal. Clima de férias. Para as noites de inverno há sofás e jogos de salão. DJ sáb-dom.

Point Éphémère (J B3)
→ 200, quai de Valmy (10e) Tel 01 40 34 02 48 www.pointephemere.org
Em uma antiga fábrica de cimento, uma sala de concertos underground, exposições e um bar e restaurante que se estende pelo cais do canal, onde o pessoal confraterniza.

La Bellevilloise (J D5)
→ 19, rue Boyer (20e) Tel 01 46 36 07 07 Qua-dom 19h (10h sáb, 11h30 dom)-2h (dependendo da programação) www.labellevilloise.com
Há teatro, exposições e música acústica nessa que era dita a "casa do povo" em 1877, verdadeiro labirinto com bares em meio a árvores e, no verão, terraço aberto no telhado. No mesmo espírito, a Maroquinerie, com seus concertos ecléticos, fica no nº 23.

BANHO TURCO

Hammam Medina Center (J C3)
→ 43-45, rue Petit (19e) Tel 01 42 02 31 05 ***Mulheres*** *seg-sex 11h-22h, dom 9h-19h* ***Misto*** *sáb 10h-21h*
Nesse palácio digno das *Mil e uma noites* você se alonga sobre uma pedra quente, aos cuidados de profissionais experientes. Para terminar, tome um relaxante chá de hortelã.

COMPRAS

Pop Market (J A5)
→ 50, rue Bichat (10e) Tel 09 52 79 96 86 Seg-sex 11h-15h, 16h-19h30; sáb 11h-19h30
Íntimos, nostálgicos e às vezes burlescos, objetos cheios de vitalidade para a vida cotidiana: tigelas, almofadas, rádios retrô...

Pâtisserie de l'Église Demoncy (J C4)
→ 10, rue du Jourdain (20e) Tel 01 46 36 66 08 Seg-sex 9h-14h, 15h-19h45; sáb-dom 9h-19h45 (18h30 dom)
Desde 1887, bombas e tortinhas encantam os moradores desse vilarejo no alto de Belleville.

Épicerie Le Caire à Paris (J C5)
→ 58-60, rue de Belleville (19e) Tel 01 43 49 64 53 Ter-dom 10h-22h
A mercearia de Adel Moussa parece um *souk* (mercado árabe) em miniatura: azeitonas, temperos, sêmola, borek com queijo, baklavas, café com cardamomo.

Antoine et Lili (J A5)
→ 95, quai de Valmy (10e) Tel 01 40 37 41 55 Diariam 11h-20h (19h dom-seg)
Em frente ao Canal Saint-Martin, três fachadas – amarela, verde e rosa – para três butiques (decoração, roupa infantil e moda). Não há como resistir aos tecidos coloridos e aos cortes retrôs ou étnicos.

PARC DES BUTTES-CHAUMONT

BUTTE BERGEYRE

BELLEVILLE

PARC DE BELLEVILLE

MÉNILMONTANT

◀ Mapa I

★ **Quartier de la Mouzaïa** (J D4)
→ *Rue de Mouzaïa*
Um nicho de passagens sombreadas, abertas em 1901 entre as ruas de Mouzaïa, Bellevue e Général-Brunet: sobrados elegantes com jardim e antigos alojamentos de operários com tijolo aparente, recobertos por hera...

★ **Parc des Buttes-Chaumont** (J C4)
→ *Rues Manin e Botzaris (19e)*
Mai-set: diariam 7h-22h; out-abr: diariam 7h-20h
Um parque de 25ha concebido em 1867 a fim de abilitar o bairro insalubre lar ao nordeste da cidade uma área verde. O engenheiro Jean-Charles Alphand transformou as antigas pedreiras, cavando um lago e criando uma série de cachoeiras e riachos. Os caminhos mergulham na vegetação mais baixa, sobem pelas rochas e emergem em terrenos mais altos.

★ **Butte Bergeyre** (J B4)
→ *54, av S.-Bolívar; 2, rue G.-Lardennois; 19, rue Manin (19e)*
No alto das escadarias desse monte há belas casas construídas na década de 1930 no espaço circular de um antigo estádio. Após percorrer o vilarejo em espiral, sente-se num banco da rue Georges-Lardennois, com vista de Paris e da Sacré-Cœur.

★ **Belleville** (J B5)
Desde seu surgimento, o aterro do bulevar de Belleville formiga de gente nos terraços projetados sobre a calçada, em meio ao perfume dos chás de hortelã e aos sons de música oriental. A rue de Belleville, até o topo da colina, é uma mini-Chinatown. Mercearias, restaurantes, cafés e bazares se espalham pela rue des Pyrénées.

★ **Parc de Belleville** (J C5)
→ *Rues des Couronnes, Piat, J.-Lacroix e Jouye-Rouve (20e)*
Seg-sex 8h-anoitecer, sáb-dom 9h-anoitecer
A rue Piat acaba em um belvedere, de onde há vistas espetaculares de Paris. Abaixo, o parque (1988), com seus 4,5ha, desce os contrafortes de uma antiga pedreira de gesso. Cascatas, gramados, caramanchões e algumas videiras.

★ **Ménilmontant** (J C5)
→ *Rue de Ménilmontant (20e)*
As pequenas ruas e seu encanto: a rue Laurence-Savart, com pequenos jardins; a Villa de l'Ermitage e seu verde; a rue des Cascades, com lindas casas; e a rue de la Mare e sua ponte sobre a ferrovia de la Petite Ceinture.

CONEXÕES COM OS AEROPORTOS

Roissy-CDG
RER B *€9,75*
Roissybus *Rue Scribe Metrô Opéra* (**C** D1) *€10,50*
Car Air France *Porte Maillot* (**E** B2), *Étoile* (**E** C3), *Montparnasse* (**G** B3) *€17,50*
Taxi *Cerca de €50*
Orly
Orlyval *Orlyval e RER B €11,30*
Orlybus *Em frente a RER Denfert-Rochereau* (**G** C4) *€7,50*
Car Air France
Metrô Invalides (**F** F2), *Montparnasse* (**G** B3) *€12,50*
Taxi *Cerca de €30*

BATEAU-MOUCHE, PONT-ROYAL E LOUVRE

BONDE AO LONGO DO PARC MONTSOURIS

TRENS E ESTAÇÕES

Informações SNCF
Grandes linhas
→ *Tel 36 35*
www.voyages-sncf.com
Seis estações
Grandes linhas e trens de subúrbio: Gare du Nord (norte), Gare de l'Est (nordeste), Gare de Lyon (sudeste), Gare d'Austerlitz (sudoeste, sudeste), Gare Montparnasse (oeste, sudoeste), Gare Saint-Lazare (noroeste).

TÁXI

Luminoso verde indica táxi livre. Uma luz vermelha, ocupado. Pegar táxi no sábado à noite é muito difícil.
Taxis Bleus
→ *Tel 36 09*
Taxis G7
→ *Tel 36 07*

AUTOLIB'

→ *www.autolib.eu*
Aluguel de carros elétricos em mais de 800 estações espalhadas pela cidade. Assinatura de 1 ano (€120, mais €5,50/30min), 1 mês (€25, mais €6,50/30min), 7 dias (€10, mais €7/30min) ou 1 dia (€9, mais €9/30min).

BICICLETA

Vélib'
→ *www.velib.paris.fr*
Locação de bicicletas em toda a cidade. Várias estações distantes entre si cerca de 300m. Assinatura de 1 ano (€29) ou de curta duração com cartão bancário: bilhete de 1 dia (€1,70) ou 7 dias (€8). Gratuito.

(11ᵉ) Tel 01 43 79 72 57
www.paris-hotel-desarts.com
No coração de um bairro animado, um edifício decorado no estilo street art, com 35 quartos iluminados, voltados para a rua. Afrescos ornamentam doze deles. €65-180.
Hôtel Rotary (**D** A4)
→ *4, rue de Vintimille (9ᵉ)*
Tel 01 48 74 26 39
www.hotel-rotary.fr
Autêntico e informal, esse antigo bordel conservou penteadeiras dos anos 1920 e outros suvenires. Cada quarto tem sua própria decoração; o "chinês" (nº 5) é bem íntimo. €70-98.
Solar Hôtel (**G** B4)
→ *22, rue Boulard (14ᵉ) Tel 01 43 21 08 20 www.solarhotel.fr*
Um pioneiro do "tudo ecológico", exemplo para a capital: painéis solares, reciclagem, mas sem Wi-Fi nos 34 quartos com paredes em cores vibrantes. Pátio arborizado e bicicletas. €79.

Hôtel Sainte-Marie (**D** D6)
→ *6, rue de la Ville-Neuve (2ᵉ)*
Tel 01 42 33 21 61
www.hotelsaintemarie.com
Reformado, esse pequeno hotel orgulha-se de seus banheiros modernos em tons bege ou acinzentado, conservando pedras aparentes. Tem 19 quartos, dando para o pátio interno (mais escuros) ou para a rua. €79-189.
Hôtel de Nesle (**A** C2)
→ *7, rue de Nesle (6ᵉ)*
Tel 01 43 54 62 41
www.hoteldenesleparis.com
A inspiração da proprietária deu a esse hotel um caráter inimitável: 18 quartos temáticos (Molière, Grand-Mère, Oriente, África etc.). Em rua tranquila e arborizada. €85-130.
Hôtel du Nord (**J** A5)
→ *47, rue Albert-Thomas (10ᵉ)*
Tel 01 42 01 66 00 www.hoteldunord-leparivelo.com
Homônimo do mítico hotel de Arletty, com muita vegetação: 23 quartos limpos, uma bela sala de refeições abobadada e bicicletas à disposição para um passeio no canal, bem próximo. €86.
Mama Shelter (**I** E2)
→ *109, rue de Bagnolet (20ᵉ)*
Tel 01 43 48 48 48
www.mamashelter.com
Com decoração em concreto, assinada por Philippe Starck, esse hotel destoa de outros edifícios, no popular bairro de St-Blaise. Tem 172 quartos sofisticados, com o máximo de conforto. A partir de €89.
Nadaud Hôtel (**J** D6)
→ *8, rue de la Bidassoa (20ᵉ)*
Tel 01 46 36 87 79
www.nadaud-hotel.com
Situado no lado mais popular de Paris, esse hotel familiar alia bom gosto e conforto: 26 quartos creme e chocolate, carpete nas escadas, elevador e, nas paredes, obras de artistas selecionados. €90.

AEROPORTOS

→ *Tel 39 50*
www.aeroportsdeparis.fr
Todas as informações sobre Roissy e Orly.
Roissy-Charles-de-Gaulle (CDG)
Três terminais:
1, 2 (voos regulares) e 3 (voos charter).
Orly (ORY)
Dois terminais:
Sul e Oeste.
Paris-Beauvais-Tillé (BVA)
→ *Tel 08 92 68 20 66*
www.aeroportbeauvais.com
Ônibus oficiais para Paris-Porte Maillot (**E** B2) *€16*
Duração 1h15-1h30
Há várias empresas de baixo custo.

ROTAS DE ACESSO AOS AEROPORTOS

Os preços apresentados são para um quarto de casal (duplo) standard, com banheiro, sem café da manhã. É recomendável reservar com pelo menos um mês de antecedência. Central de reservas no site do escritório de turismo: www.parisinfo.com

CAMPING

Camping Indigo Paris (**F** A1)
→ *2, allée du Bord-de-l'Eau (16e) Tel 01 45 24 30 00*
www.campingparis.fr
O único camping parisiense às margens do Sena, no Bois de Boulogne: 435 lugares (€24,90-36,20), 75 chalés e vagas para trailers (a partir de €87 p/ 4 pessoas), com todas as comodidades.

APARTAMENTOS

Airbnb
→ *www.airbnb.fr*
Residências particulares por toda a cidade – de quartos para estudantes a apartamentos luxuosos. €7-500.

ALBERGUES DA JUVENTUDE

St-Christopher's Inn (**J** B2)
→ *159, rue de Crimée (19e)*
Tel 01 40 34 34 40
www.st-christophers.co.uk
Albergue de mochileiros em estilo anglo-saxão, instalado em um dos antigos Magasins Généraux. Dormitórios amplos de 6 a 12 leitos e quartos duplos com banheiro. Restaurante, bar e casa noturna. Duplo €48-150; dormitório €17-40/pessoa.
Hôtels MIJE (**B** D4)
→ *6, rue de Fourcy; 11, rue du Fauconnier; 12, rue des Barres (4e) Tel 01 42 74 23 45*
www.mije.com
No centro do Marais, três edifícios dos sécs. XVI e XVII. Quartos simples, duplos ou dormitórios de 4 a 10 leitos. Jantar €10,50. Adesão à associação €2,50. Estada máxima de sete noites. Duplo €82; dormitório €33,50/pessoa; café da manhã incluso.
Hostel Oops! (**H** A4)
→ *50, av des Gobelins (13e)*
Tel 01 47 07 47 00
www.oops-paris.com
A austeridade está proibida nesse albergue, com quartos e dormitórios coloridos, todos com banheiro. Duplo €70-115; dormitório €30-34/pessoa; café da manhã incluso.

MENOS DE €100

Hôtel Bonséjour Montmartre (**D** B3)
→ *11, rue Burq (18e)*
Tel 01 42 54 22 53 www.hotel-bonsejour-montmartre.fr
Entre a rue des Abesses e a casa de Dalida, esse edifício de esquina desfruta a animação de Montmartre. Oferece 32 quartos simples e reformados, com banheiros novos. €50-99 e €45-75 (sem banheiro).
Hôtel du Commerce (**A** D3)
→ *14, rue de la Montagne-Sainte-Geneviève (5e)*
Tel 01 43 54 89 69 www.commerceparishotel.com
Um pequeno hotel de estudantes, tão bem cuidado que resplandece: quartos de múltiplas cores, camas excelentes, quitinete no térreo (para o café da manhã). €58-78.
Hôtel Tolbiac (**H** B5)
→ *122, rue de Tolbiac (13e)*
Tel 01 44 24 25 54
www.hotel-tolbiac.com
Cor e simplicidade predominam nos 47 quartos desse hotel jovial, na entrada do 13e arrondissement asiático. €65-72 (€48,50-58 sem banheiro).
Hôtel des Arts (**I** C2)
→ *2 rue Godefroy-Cavaignac*

O melhor de Paris

Dez ideias para conhecer a capital de um jeito diferente

Acomodar-se em um balcão de café
É preciso entrar nos "cafés de esquina", mesmo que não pareçam muito aconchegantes, porque não há nada melhor que um cafezinho (ou um copo de vinho branco) tomado no balcão para sentir a alma da cidade, ou de um bairro, no ritmo das conversas dos fregueses. Diz-se que nas ruas de Paris há um café para cada 200 habitantes!
→ *Café de la Mairie* (**A** B3), *Pure Café* (**I** C3)

Degustar um sorvete no Berthillon (**A** F4)
Cada um escolhe seu momento: de manhã, quando não tem ninguém; à tarde, ao caminhar em direção à Notre-Dame; ou à noite, após um dia quente. O mais famoso sorveteiro de Paris sempre é muito concorrido. Sorvetes para saborear nos cais da ilha. Entre os mais diversos sabores, pralinê com limão e coentro, chá Earl Grey e leite de amêndoas...
→ *No verão, visite o lugar de manhã para evitar intermináveis filas de espera*

Circular de Vélib'
Essas estranhas bicicletas cinza circulam desde 2007. Por €1,70, desloque-se de maneira diferente, usando caminhos alternativos, ruelas esquecidas pelos carros e vias reservadas em alguns cais...
→ *Atenção: alguns dos postos autorizados ficam sempre lotados, sobretudo à noite; outros estão sempre vazios. www.velib.paris.fr (veja* Transportes e hospedagem*)*

Tomar o metrô
Apesar de o odiarem na hora do rush, os parisienses têm apreço por seu metrô com ornamentos art nouveau, que serpenteia pela capital desde o início do séc. XX e cuja eficácia ninguém contesta. Certas estações se transformam em museus, e em trechos de algumas linhas, parcialmente a céu aberto, viaja-se na mesma altura dos prédios.
→ *As estações Louvre-Rivoli (reproduções de obras do Louvre), Arts-et-Métiers (projetada por François Schuiten), Varenne (dedicada a Rodin); e as linhas 2 e 6, aéreas.*

Fazer um passeio de bateau-mouche
É de noite, longe da multidão, quando as luzes sublimam a cidade, que se deve embarcar nos *bateaux-mouches*. Ao longo do rio, Paris se ilumina por meio de projetores que, a partir do barco, fazem "dançar" as fachadas e revelam a intimidade das pontes...
→ *Admire os mascarões da*

BOUQUINISTES

LE BARON ROUGE

BERTHILLON

BATEAU-MOUCHE

Transportes e hospedagem

Pont-Neuf (**A** C1) *e, na Pont de l'Alma* (**F** E1), *não perca a estátua* O zuavo, *de um soldado da Guerra da Crimeia, em 1856 (veja* Transportes e hospedagem*)*

Tomar sol em Paris-Plage (Praia de Paris)

Guarda-sóis, areia clara, cadeiras, jogos de bola, lanchonetes, concertos, todo tipo de atividade... Os cais de Paris, no verão, tomam ares de praia.

→ *20 jul-20 ago Via Expressa Pompidou (4e), espelho d'água de La Villette (19e). Evite a multidão do fim de semana e aproveite à noite o ambiente festivo.*

Fazer um piquenique

Com os primeiros dias quentes da primavera, os parisienses vão aos parques ou à beira da água fazer piquenique. Ocasião ideal para se abastecer nos comerciantes de bairro (frios, queijos, pães) e preparar o famoso sanduíche de presunto e manteiga, regado com um bom vinho.

Xeretar os livreiros

Ao longo dos cais, nas margens esquerda e direita, da Pont Royal à Pont de Sully, alinham-se por 3km as caixas verde-garrafa dos livreiros. Com 1,10m de altura e mais de 8m de comprimento, elas abrigam livros usados – alguns antigos e raros – gravuras, cartões-postais, revistas, selos, quadrinhos etc. Uma tradição que existe há quatro séculos e ainda encanta os colecionadores e o público em geral...

→ *Diariam a partir das 11h30 até o anoitecer; vários fecham em dias de chuva*

Jantar em uma brasserie

Nas bancas diante da porta, o ostreiro abre suas preciosas conchas. Dentro, os garçons não param: calça preta, camisa branca, colete com bolso e longo avental branco (o "rondin")... À la carte, pratos tradicionais: steak tartar cru ou passado na frigideira, chucrute da Alsácia, cozidos, bouillabaisse etc.

→ *Le Terminus Nord* (**D** D4), *em frente à Gare du Nord*

Virar a noite

A vida noturna de Paris acabou? Nunca! Alternativa, underground, arty, bling-bling, descolada, tecno, latina, disco, bimbo, retrô... a noite é de todos. Das barcaças festivas do 13e (**H**) aos bares de aperitivos do Canal Saint-Martin (**J**), dos terraços de Oberkampf (**I**) aos bistrôs estudantis do Quartier Latin (**A**), dos clubes eletro dos Grands Boulevards (**D**) aos chiques clubes noturnos do 8e arrondissement (**E**)... ou mesmo a festa Concrete (**H** C3), ao longo do Sena.

→ *Cuidado: sex-sáb à noite há poucos táxis após o último metrô (2h)*

PARC DE LA VILLETTE

LA FOLIE EN TÊTE

Transportes e hospedagem

METRÔ

PONTO DE ÔNIBUS

ESTAÇÃO DE VÉLIB'

nos banheiros, e 48 quartos com móveis criativos. €150-235.

Hôtel Amour (**D** B5)
→ *8, rue de Navarin (9e)*
Tel 01 48 78 31 80
www.hotelamourparis.fr
Esse hotel nada convencional tem 24 quartos decorados por artistas ou pelos próprios proprietários e adornados com objetos achados em mercados de pulgas. Terraço com jardim de inverno e café e restaurante que atrai a nata parisiense. €170-225.

Hôtel du Petit Moulin (**B** E2)
→ *29-31, rue du Poitou (3e)*
Tel 01 42 74 10 10 www.hotelpetitmoulinparis.com
Passada a fachada de 1900 e a magnífica recepção (que foi da padaria mais antiga de Paris, aberta na época de Henrique IV), surge o ecletismo surpreendente de Christian Lacroix, responsável pela decoração dos 17 quartos. Um hotel rico em materiais e cores. €195-480.

Hôtel des Grands Hommes (**A** D4)
→ *17, pl du Panthéon (5e)*
Tel 01 46 34 19 60 www.hoteldesgrandshommes.com
Esse elegante hotel do séc. XVIII tem 31 quartos cuja decoração combina com a arquitetura do Panthéon. Os quartos superiores e de luxo abrem-se para o domo. €200-470.

Hôtel des Marronniers (**A** B2)
→ *21, rue Jacob (6e)*
Tel 01 43 25 30 60
www.hotel-marronniers.com
Um bom endereço, no qual os quartos são voltados para o pátio, para a torre de Saint-Germain ou para o jardim, um oásis de paz transformado em salão de chá. €205-220.

Hôtel de Londres-Eiffel (**F** E1)
→ *1, rue Augereau (7e)*
Tel 01 45 51 63 02
www.londres-eiffel.com
Entre os 30 quartos aconchegantes, quatro dão para a Torre Eiffel! Paredes revestidas de tecidos mais pesados. €245-320.

HOTÉIS DE ALTO LUXO

Aproveite o luxo desses hotéis com um brunch ou um coquetel. Requisita-se traje formal.

Ritz (**C** D2)
→ *15, pl Vendôme (1er)*
Tel 01 43 16 30 30
www.ritzparis.com
Suntuoso hotel característico da place Vendôme. €550-770.

Hôtel de Crillon (**C** C2)
→ *10, pl de la Concorde (8e)*
Tel 01 44 71 15 00
www.crillon.com
O mais majestoso de todos: decoração do séc. XVIII, com ouro e mármore em todos os andares. €770.

TRANSPORTE PÚBLICO

Informação RATP
→ *Tel 32 46*
www.ratp.fr

Ônibus
→ *Diariam 7h-20h30 (algumas linhas 0h30)*
59 linhas. Serviço reduzido aos dom e feriados.

Noturnos
→ *Diariam 0h30-5h30*
47 linhas.

Bonde
→ *Diariam 5h30-0h30*
Duas linhas: T3a, entre a Pont du Garigliano e a Porte de Vincennes, e T3b, até a Porte de la Chapelle.

Metrô
→ *Diariam 5h30-0h30/1h (1h30/2h sex-sáb)*
Mais de 300 estações e dezesseis linhas (numeradas de 1 a 14) dentro de Paris e nos subúrbios próximos (zonas 1-2).

RER
→ *Diariam 5h30-0h30*
Cinco linhas rápidas (A, B, C, D, E) cortam Paris e a Île-de-France (zonas 1-6).

Tipos de passagem

Bilhetes
→ *€1,80 unitário (€2 a bordo); €14,10 c/ 10 unidades*
À venda nas estações de metrô (bilheterias ou máquinas) e em tabacarias.

Mobilis
→ *€7-16,60, conforme as áreas de cobertura*
Viagens ilimitadas por um dia na área escolhida.

Paris Visite
→ *€12,30-67,40, conforme a duração do pacote (1, 2, 3 ou 5 dias) e as áreas de cobertura*
Todo tipo de transporte. Descontos nos monumentos de Paris e dos arredores.

ESTAÇÕES DE TREM (GARES) E EMBARCADOUROS

PARIS PELO SENA

Bateaux-mouches
Batobus
→ *Tel 08 25 05 01 01*
Oito escalas da Torre Eiffel até o Jardin des Plantes. €15 (1 dia), €18 (2 dias), €21 (5 dias).
Bateaux Parisiens
→ *Próximo à Torre Eiffel Tel 08 25 01 01 01*
Para um passeio até a Île de la Cité. €14
Canauxrama
→ *Tel 01 42 39 15 00*
Passeios pelos canais. €17
Compagnie des Bateaux-Mouches
→ *Tel 01 42 25 96 10 www.bateaux-mouches.fr*
Para jantar sobre a água.

Hôtel Eldorado (E F1)
→ *18, rue des Dames (17e) Tel 01 45 22 35 21 www.eldoradohotel.fr*
Hotel charmoso com móveis coloridos e decoração escolhida pelos donos durante suas viagens. O excelente bistrô Des Dames fica no térreo. €90-125.

€100-150

Hôtel Jeanne d'Arc (B E4)
→ *3, rue de Jarente (4e) Tel 01 48 87 62 11 www.hoteljeannedarc.com*
Tranquilo e bem localizado, esse hotel do séc. XVII tem 34 quartos simples e limpos. Como destaque, há um espelho delirante na entrada! €100-120.
Hôtel Saint-André-des-Arts (A C2)
→ *66, rue Saint-André-des-Arts (6e) Tel 01 43 26 96 16 hotel@hotel-saintandre desarts.fr*
Decoração sóbria, em um imóvel do séc. XVI com vigas de madeira aparentes. Oferece 31 quartos de personalidade, sendo mais bem iluminados os que dão para a rua. Café da manhã servido no hall. €101.
La Maison Montparnasse (G A4)
→ *53, rue de Gergovie (14e) Tel 01 45 42 11 39 www.la maisonmontparnasse.com*
Em uma ruazinha de Pernety, esse hotel novo é aconchegante e colorido: fúcsia no primeiro andar, amarelo no segundo, ameixa no terceiro e laranja no quarto. €105-135.
Hôtel Esméralda (A D2)
→ *4, rue Saint-Julien-le-Pauvre (5e) Tel 01 43 54 19 20 www.hotel-esmeralda.fr*
Em uma rua com calçamento de pedras, um albergue do séc. XVII, com paredes inclinadas, escadas de madeira e cortinas de veludo púrpura. No lado que dá para a rua, vista da Notre-Dame. €115.
Ermitage Hôtel (D C3)
→ *24, rue Lamarck (18e) Tel 01 42 64 79 22 www.ermitagesacrecoeur.fr*
Uma adorável mansão do séc. XIX convertida em pousada: 5 quartos e 3 apartamentos confortáveis, com estilo inglês florido. No fundo, um pequeno jardim dá vista para a Butte Montmartre. €120.
Familia Hôtel (A D3)
→ *11, rue des Écoles (5e) Tel 01 43 54 55 27 www.familiahotel.com*
Desde 1930, um hotel familiar refinado, com tapeçarias e pedras aparentes. No nº 13, o Minerve, do mesmo dono, tem quartos maiores e um pouco mais caros. €129-147.
Hôtel des Grandes Écoles (A D4)
→ *75, rue du Cardinal-Lemoine (5e) Tel 01 43 26 79 23 www. hotel-grandes-ecoles.com*
Na velha Paris, verdadeira e elegante casa de campo do fim do séc. XIX, com jardim e 51 quartos: decoração floral ou de "toiles de Jouy" (papel de parede com cenas bucólicas) e móveis antigos. €140-165.

MAIS DE €150

Hôtel Paradis (D D6)
→ *41, rue des Petites-Écuries (10e) Tel 01 45 23 08 22 www.hotelparadisparis.com*
Assinada pela decoradora da hora, Dorothée Meilichzon, uma mistura de sofisticação e estilo retrô: cabeceiras que evocam nuvens e papéis de parede vintage nos 38 quartos. Os do sétimo andar têm vista para Montmartre. €150-220.
Color Design Hôtel (I C3)
→ *35, rue de Cîteaux (12e) Tel 01 43 07 77 28 www. colordesign-hotel-paris.com*
Jogo de luzes e cores até

M RER
Paris
RATP
32 46 • wap.ratp.fr
www.ratp.fr
Propriété de la RATP - Agence Cartographique - PMI 04-2013 - BO Design: bdcconseil - Reproduction interdite
A
C
B
E
1 La Défense Grande Arche
Esplanade de La Défense
Pont de Neuilly
Les Sablons
Porte Maillot
Neuilly–Porte Maillot
Argentine
Charles de Gaulle Étoile
George V
Franklin D. Roosevelt
Champs Élysées Clemenceau
Concorde
Tuileries
Palais Royal Musée du Louvre
Louvre Rivoli
2 Porte Dauphine
Victor Hugo
Ternes
Courcelles
Monceau
Villiers
Rome
Place de Clichy
Blanche
Piga
3 Pont de Levallois Bécon
Anatole France
Louise Michel
Porte de Champerret
Pereire–Levallois
Pereire
Wagram
Malesherbes
Europe
Gare St-Lazare
St-Augustin
Havre Caumartin
Opéra
Quatre Se
Bo
Ét
6
Kléber
Boissière
Trocadéro
Passy
Bir-Hakeim
Dupleix
La Motte Picquet Grenelle
Cambronne
Sèvres Lecourbe
Pasteur
Edgar Quinet
Raspail
Iéna
Alma Marceau
Pont de l'Alma
Invalides
Musée d'Orsay
Pont Neu
Avenue Foch
Avenue Henri Martin
Boulainvilliers
Avenue du Pdt Kennedy
Champ de Mars Tour Eiffel
Javel
Issy Val de Seine
Issy
Asnières–Gennevilliers Les Courtilles 13
Les Agnettes
Gabriel Péri
Saint-Ouen
Mairie de Clichy
Porte de Clichy
Brochant
La Fourche
Liège
Miromesnil
Varenne
Saint François Xavier
Duroc
Montparnasse Bienvenüe
Gaîté
Pernety
Plaisance
Pte de Vanves
Malakoff Plateau de Vanves
Malakoff Rue Étienne Dolet
Châtillon–Montrouge 13
Carrefour Pleyel
Mairie de St-Ouen
Garibaldi
Porte de St-Ouen
Guy Môquet
de Clignan
Lamar Caulaincou
Abbess
Trinité d'Estienne d'Orves
St-Georg
Notre-Dam de-Lorett
14 St-Lazare
Haussmann St-Lazare
Chaussée d'Antin La Fayette
Auber
RoissyBus
Madeleine
Pyramides
St-Philippe du-Roule
Assemblée Nationale
Solférino
Rue du Bac
St-Germain des-Prés
St-M
Sèvres Babylone
Vaneau
Rennes
Mabillon
St-Sulpice
Lux
Notre-Dame-des-Ch
Vavin
St-Placide
Falguière
Gare Montparnasse
Volontaires
Vaugirard
Convention
Porte de Versailles
Corentin Celton
12 Mairie d'Issy
Porte d'Orléans
Mairie de Montrouge 4
Antony
8 Balard
Lourmel
Boucicaut
Félix Faure
Commerce
École Militaire
La Tour Maubourg
Ségur
9 Pont de Sèvres
Billancourt
Marcel Sembat
Porte de St-Cloud
Exelmans
Michel-Ange Molitor
Michel-Ange Auteuil
Jasmin
Ranelagh
La Muette
Rue de la Pompe
10 Boulogne Pont de St-Cloud
Boulogne Jean Jaurès
Porte d'Auteuil
Église d'Auteuil
Mirabeau
Chardon Lagache
Javel André Citroën
Charles Michels
Avenue Émile Zola
Pont du Garigliano

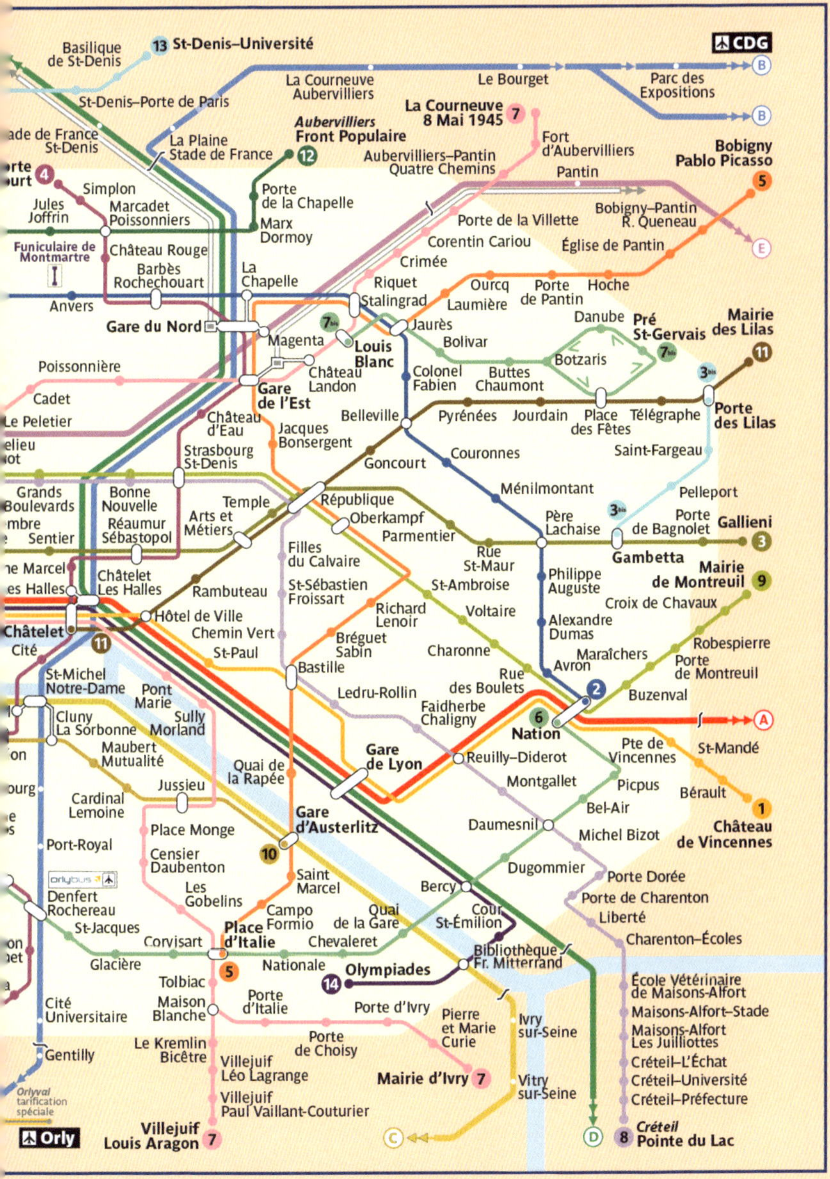

CDG
Basilique de St-Denis
13 St-Denis–Université
St-Denis–Porte de Paris
La Courneuve Aubervilliers
Le Bourget
Parc des Expositions
B
B
La Courneuve 8 Mai 1945 7
Fort d'Aubervilliers
Stade de France St-Denis
La Plaine Stade de France
Aubervilliers Front Populaire
12
Aubervilliers–Pantin Quatre Chemins
Bobigny Pablo Picasso
5
Pantin
4
Simplon
Jules Joffrin
Marcadet Poissonniers
Porte de la Chapelle
Marx Dormoy
Porte de la Villette
Bobigny–Pantin R. Queneau
Corentin Cariou
Église de Pantin
E
Funiculaire de Montmartre
Château Rouge
Barbès Rochechouart
La Chapelle
Crimée
Riquet
Ourcq
Porte de Pantin
Hoche
Anvers
Stalingrad
Laumière
Gare du Nord
Jaurès
Danube
Pré St-Gervais
Mairie des Lilas
Magenta
7bis
Louis Blanc
Bolivar
Botzaris
7bis
11
Poissonnière
Château Landon
Colonel Fabien
Buttes Chaumont
3bis
Gare de l'Est
Cadet
Le Peletier
Château d'Eau
Belleville
Pyrénées
Jourdain
Place des Fêtes
Télégraphe
Porte des Lilas
Jacques Bonsergent
Strasbourg St-Denis
Goncourt
Couronnes
Saint-Fargeau
Ménilmontant
Pelleport
Grands Boulevards
Bonne Nouvelle
Temple
République
Arts et Métiers
Oberkampf
Père Lachaise
3bis
Porte de Bagnolet
Gallieni
3
Réaumur Sébastopol
Sentier
Parmentier
Filles du Calvaire
Rue St-Maur
Gambetta
Mairie de Montreuil
9
Châtelet Les Halles
Philippe Auguste
St-Sébastien Froissart
St-Ambroise
Rambuteau
Croix de Chavaux
Hôtel de Ville
Richard Lenoir
Voltaire
Alexandre Dumas
Châtelet
Chemin Vert
Bréguet Sabin
Cité
11
St-Paul
Charonne
Robespierre
Maraîchers
Avron
Porte de Montreuil
St-Michel Notre-Dame
Bastille
Rue des Boulets
Pont Marie
2
Ledru-Rollin
Buzenval
Cluny La Sorbonne
Sully Morland
Faidherbe Chaligny
6
A
Nation
Maubert Mutualité
Pte de Vincennes
St-Mandé
Quai de la Rapée
Gare de Lyon
Reuilly–Diderot
Jussieu
Montgallet
Picpus
Bérault
Cardinal Lemoine
1
Bel-Air
Château de Vincennes
Gare d'Austerlitz
Daumesnil
Michel Bizot
Place Monge
Port-Royal
10
Censier Daubenton
Dugommier
Saint Marcel
Porte Dorée
orlybus
Denfert Rochereau
Les Gobelins
Bercy
Porte de Charenton
Cour St-Émilion
Liberté
St-Jacques
Campo Formio
Quai de la Gare
Place d'Italie
Corvisart
Chevaleret
Charenton–Écoles
Glacière
Bibliothèque Fr. Mitterrand
5
Nationale
Olympiades
14
Tolbiac
École Vétérinaire de Maisons-Alfort
Cité Universitaire
Maison Blanche
Porte d'Italie
Porte d'Ivry
Pierre et Marie Curie
Ivry sur-Seine
Maisons-Alfort–Stade
Maisons-Alfort Les Juilliottes
Le Kremlin Bicêtre
Porte de Choisy
Gentilly
Villejuif Léo Lagrange
Créteil–L'Échat
Mairie d'Ivry 7
Vitry sur-Seine
Créteil–Université
Orlyval tarification spéciale
Villejuif Paul Vaillant-Couturier
Créteil–Préfecture
Orly
Villejuif Louis Aragon 7
C
D
8 Créteil Pointe du Lac

Índice de ruas, monumentos e atrações

Os nomes de ruas, monumentos e atrações estão classificados por ordem alfabética. As letras em negrito (**A**, **B**, **C**...) indicam o bairro e o mapa correspondente. A estrela ✪ remete à página "Atrações imperdíveis", no começo do livro.

Ruas

Abbesses (rue des) **D** B3-B4
Albert-1er (cours) **E** D4-E4
Alésia (rue d') **G** A4-C5
Aligre (rue d') **I** C3
Amelot (rue) **B** F1-F4, **I** B1
Anatole-France (quai) **C** B3-C3
Auber (rue) **C** D1, **D** A6
Austerlitz (quai d') **H** B2-C3
Babylone (rue de) **F** F2, **G** A1-B1
Bac (rue du) **A** A1, **G** B1
Barbès (blvd) **D** D2-D4
Bastille (blvd de la) **H** C1-C2, **I** B2-B3
Batignolles (blvd des) **D** A4, **E** E2-F2
Beaubourg (rue) **B** C2-D2
Beaumarchais (blvd) **B** F3-F4, **I** B2
Belleville (blvd de) **J** B5-C5
Belleville (rue de) **J** B5-D4
Bobillot (rue) **H** A4-A5
Bonne-Nouvelle (blvd de) **D** D6
Bourdon (blvd) **H** C1-B2, **I** B2-B3
Bréa (rue) **A** A4, **G** C2
Butte-aux-Cailles (rue de la) **H** A5
Cambon (rue) **C** C2
Capucines (blvd des) **C** D1, **D** A6-B6
Cardinal-Lemoine (rue du) **A** E3-E4, **H** A1-A2
Célestins (quai des) **A** F2, **B** D4
Champs-Élysées (av des) **C** A2-B2, **E** D3-F4
Charonne (rue de) **I** B2-D2
Cherche-Midi (rue du) **G** B2-B1
Choisy (av de) **H** B4-B6
Cinq-Diamants (rue des) **H** A4
Cité (rue de la) **A** D2, **B** B4
Clichy (av de) **D** A3-A4
Clichy (blvd de) **D** A4-B4
Conti (quai de) **A** B1-C2, **B** A3
Convention (rue de la) **F** C3-E4
Cotte (rue de) **I** C3
Courcelles (blvd de) **E** D2-E2
Croulebarbe (rue de) **H** A4
Daguerre (rue) **G** B4-C4
Daumesnil (av) **H** C2-D2, **I** B3-F4,
Denfert-Rochereau (av) **G** C3-C4
École-de-Médecine (rue de l') **A** C2-C3
École-Militaire (pl de l') **F** E2
Écoles (rue des) **A** C3-E3
Émile-Zola (av) **F** C3-D3
Espérance (rue de l') **H** A5
Faidherbe (rue) **I** C2-C3
Faubourg-Montmartre (rue du) **D** C5-C6
Faubourg-Saint-Antoine (rue du) **I** B2-D3
Faubourg-Saint-Denis (rue du) **J** A3-A4
Faubourg-Saint-Honoré (rue du) **C** A1-D3, **E** D3-F4
Faubourg-Saint-Martin (rue du) **J** A5-B3
Filles-du-Calvaire (blvd des) **B** F2-F3, **I** B1-B2
Flandre (av de) **J** B3-C2
Foch (av) **E** B3-C3
France (av de) **H** C3-D5
François-Mauriac (quai) **H** C3-D4
François-Miron (rue) **B** C4-D4
Gaîté (rue de la) **G** B3
Gambetta (av) **I** E1
Gare (quai de la) **H** C3
Garibaldi (blvd) **F** E3-F3
Geoffroy-Saint-Hilaire (rue) **H** A2-B3
Gobelins (av des) **H** A3-A4
Grands-Augustins (quai des) **A** C2, **B** A4
Grenelle (blvd de) **F** D2
Halles (rue des) **B** B2-B3
Harpe (rue de la) **A** D2
Haussmann (blvd) **D** A6-B6, **E** F3
Henri-IV (blvd) **A** F3, **I** A3-B2
Henri-IV (quai) **H** B1-B2, **I** A3-B3,
Hôpital (blvd de l') **H** A4-B2
Hôtel-de-Ville (quai de l') **A** E2-F2, **B** C4-D4
Huchette (rue de la) **A** D2
Invalides (pl des) **C** A4, **F** F1
Italie (av d') **H** A4-B6
Italiens (blvd des) **C** E1, **D** B6
Ivry (av d') **H** B5-C5
Jacob (rue) **A** B2, **C** D4-E4
Jean-Jaurès (av) **J** B3-D2
Jean-Pierre-Timbaud (rue) **I** B1-C1
Joseph-de-Maistre (rue) **D** A2-B3
Jules-Ferry (blvd) **I** B1, **J** A5-B6
Keller (rue) **I** C2
Kléber (av) **E** C3-C4
La Fayette (rue) **C** E1
Laffitte (rue) **D** B6
Lappe (rue de) **I** B2-C2
Lecourbe (rue) **F** C4-E3
Léon-Frot (rue) **I** C2-D2
Lepic (rue) **D** B3-B4
Lille (rue de) **C** C4-D4
Loire (quai de la) **J** B3-C3
Louise-Weiss (rue) **H** C4
Louvre (quai du) **C** F4
Lyon (rue de) **I** B2-B3
Mabillon (rue) **A** B2-B3
MacDonald (blvd) **J** B1-D1
Madeleine (blvd de la) **C** C2
Magenta (blvd de) **B** E1, **J** A4-A5
Maine (av du) **G** B2-B5
Malaquais (quai) **A** B1, **C** D4-E4
Malesherbes (blvd) **C** B1-C1, **E** D1-F3
Marbeuf (rue) **E** D3-D4
Marceau (av) **E** D3-D4, **F** E1
Marché-Saint-Honoré (pl du) **C** D2
Martyrs (rue des) **D** C4-B5
Marx-Dormoy (rue) **J** A2-A3
Mazarine (rue) **A** B2
Mégisserie (quai de la) **C** F4, **B** A3-B3
Ménilmontant (blvd de) **J** C6
Montaigne (av) **E** D4-E3
Montebello (quai de) **A** D2-E3, **B** B4
Montmartre (blvd) **C** F1, **D** C6
Montmartre (rue) **B** A1-B2, **C** F2-F3
Montparnasse (blvd du) **G** A2-C3
Morland (blvd) **H** B1-B2, **I** A3-B3
Mouffetard (rue) **A** D4, **H** A2-A3
New York (av de) **E** C4-D4, **F** D1
Oberkampf (rue) **I** B2-C1, **J** A6-C6
Odéon (carrefour de l') **A** C2
Opéra (av de l') **C** D2-E3
Orléans (quai d') **A** E2-E3
Orsay (quai d') **C** A3, **E** D4-F4
Orsel (rue d') **D** C4
Palais (blvd du) **A** D2, **B** B4
Panhard-et-Levassor (quai) **H** D4-D5
Panoyaux (rue des) **J** C5-C6
Panthéon (pl du) **A** D4
Parvis-Notre-Dame (pl du) **A** D2
Pasteur (blvd) **F** F3
Picardie (rue de) **B** E2
Poissonnière (blvd) **D** C6
Port-Royal (blvd de) **G** C3-D3
Président-Wilson (av du) **E** C4-D4
Quincampoix (rue) **B** C2-C3
Raspail (blvd) **G** B1-B4
Réaumur (rue) **B** A1-D2
Renard (rue du) **B** C3
Rennes (rue de) **A** A4-B2, **G** B2-C1
République (av de la) **B** F1, **I** B1-D1, **J** A5-C6
Richard-Lenoir (blvd) **I** B1-B2
Rivoli (rue de) **A** C1-F2, **B** A2-D4, **C** C2-F3
Rochechouart (blvd de) **D** C4-D4
Roquette (rue de la) **I** B2-D2

ESTOCOLMO

Seu Guia Passo a Passo

Quem visita Estocolmo experimenta a sensação de estar sempre próximo da natureza. Construída sobre um esplêndido **arquipélago** no ponto em que o **mar Báltico** se encontra com o **lago Mälaren**, a "**Veneza escandinava**" espalha-se por catorze ilhas. É uma das raras capitais do mundo que pode se orgulhar de ter atrações naturais que variam de **parques** e **praias** a orlas propícias a **mergulhos** e à **pesca** de salmão, sem contar uma estação de esqui – tudo dentro da cidade. Fundada no séc. XIII com a missão de controlar as vias navegáveis, Estocolmo tem os primórdios de sua história enraizados em **Gamla Stan**, a Cidade Velha: suas ruelas pavimentadas resplandecem em volta do cartão-postal que é **Stortorgert**, praça central, com suas fachadas medievais e seu colorido barroco. A duas pontes de lá, na direção leste, **Skeppsholmen** ergue-se como ilha da cultura por conta de seus três museus rodeados por paisagens verdejantes – entre eles, destaque para o **Moderna Museet**, projetado por Rafael Moneo. A verdadeira ilha "verde", no entanto, fica um pouco mais adiante: **Djurgârden**. Situado nesse local, retiro de caça dos reis de outrora, está o **Vasamuseet**, navio de guerra que foi a pique no dia de sua inauguração, em 1628. Resgatado do mar e recuperado, hoje é atração de museu. No séc. XIX, a cidade viveu grandes transformações arquitetônicas. Assim nasceu **Östermalm**, bairro abastado onde imóveis suntuosos e lojas luxuosas dão destaque ao design sueco. Nos anos 1950-60 surgiu a **City**, ultramoderna, repleta de edifícios com vidros espelhados, galerias e lojas de departamentos. Nada a ver com o descolado **Södermalm**, bairro localizado ao sul, ocupado por pequenas butiques, ateliês de jovens artistas, bares da moda e restaurantes exóticos. Com **Seu Guia Passo a Passo**, a cidade se abre para você!

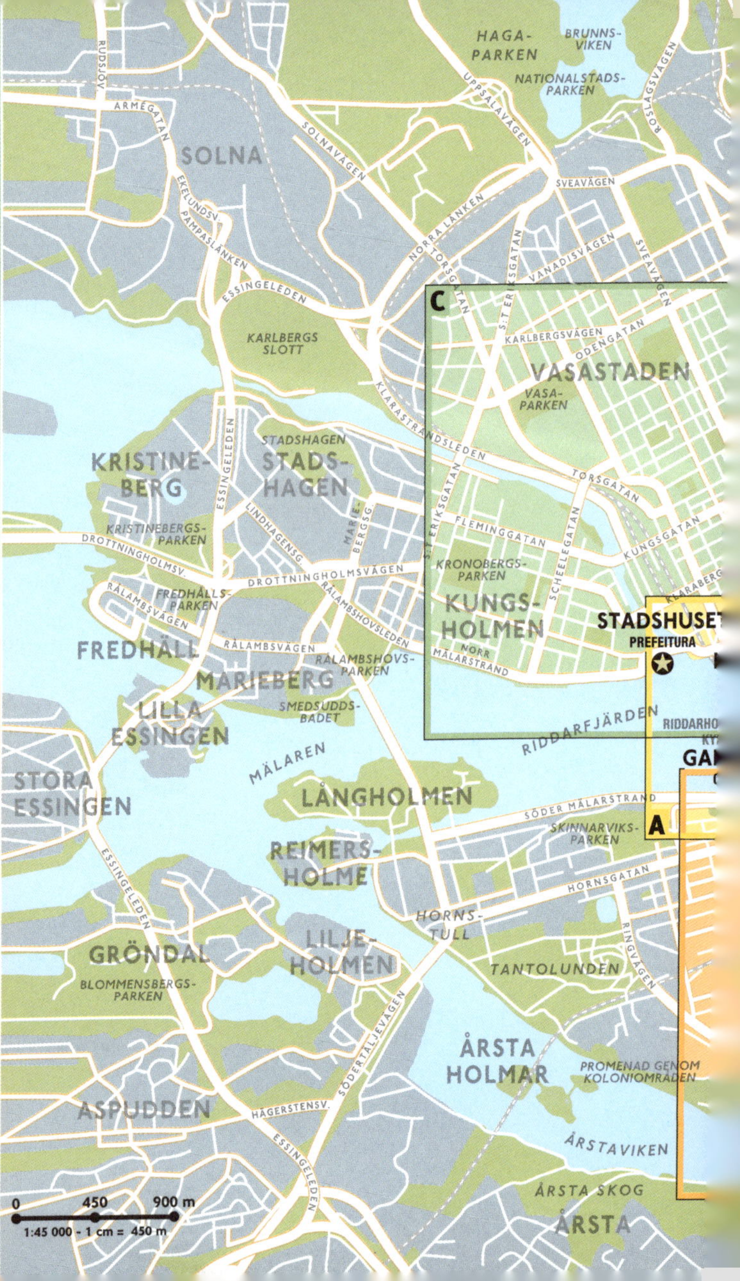
HAGA-PARKEN
BRUNNS-VIKEN
NATIONALSTADS-PARKEN
RUDSJÖV.
ARMÉGATAN
SOLNA
SOLNAVÄGEN
UPPSALAVÄGEN
ROSLAGSVÄGEN
SVEAVÄGEN
EKELUNDSV.
PAMPASLÄNKEN
NORRA LÄNKEN
TORSGATAN
S:T ERIKSGATAN
VANADISVÄGEN
ESSINGELEDEN
KARLBERGS SLOTT
C
KARLBERGSVÄGEN
ODENGATAN
VASASTADEN
VASA-PARKEN
KLARASTRANDSLEDEN
KRISTINE-BERG
ESSINGELEDEN
STADSHAGEN
STADS-HAGEN
TORSGATAN
LINDHAGENSG.
MARE-BERGSG.
FLEMINGGATAN
SCHEELEGATAN
KUNGSGATAN
KRISTINEBERGS-PARKEN
DROTTNINGHOLMSV.
DROTTNINGHOLMSVÄGEN
KRONOBERGS-PARKEN
KLARABERG
RÅLAMBSVÄGEN
FREDHÄLLS-PARKEN
RÅLAMBSHOVSLEDEN
KUNGS-HOLMEN
STADSHUSET
PREFEITURA
FREDHÄLL
RÅLAMBSVÄGEN
RÅLAMBSHOVS-PARKEN
NORR MÄLARSTRAND
MARIEBERG
LILLA ESSINGEN
SMEDSUDDS-BADET
RIDDARFJÄRDEN
MÄLAREN
STORA ESSINGEN
LÅNGHOLMEN
SÖDER MÄLARSTRAND
A
SKINNARVIKS-PARKEN
REIMERS-HOLME
HORNSGATAN
ESSINGELEDEN
HORNS-TULL
GRÖNDAL
LILJE-HOLMEN
TANTOLUNDEN
RINGVÄGEN
BLOMMENSBERGS-PARKEN
SÖDERTÄLJEVÄGEN
ÅRSTA HOLMAR
PROMENAD GENOM KOLONIOMRÅDEN
ASPUDDEN
HÄGERSTENSV.
ESSINGELEDEN
ÅRSTAVIKEN
ÅRSTA SKOG
ÅRSTA
0
450
900 m
1:45 000 - 1 cm = 450 m